S0-BKH-115

Robinson Crusoe

DANIEL DEFOE

Robinson Crusoe

DANIEL DEFOE

Diseño gráfico: Milagros Recio
Corrección: Sara Campos / Equipo Servilibro
Ilustraciones: Sáez

C/ Campezo, 13 - 28022 Madrid
Tel.: 91 3009102 - Fax: 91 3009118
www.servilibro.com

Daniel Defoe

El famoso escritor inglés Daniel Defoe nació en Londres (Cripplegate) probablemente en 1661. Murió en 1731.

Defoe llevó una existencia aventurera de largos viajes y no pocas desventuras, pues llegó a conocer la prisión. Su azarosa vida y los diversos trabajos realizados le depararon una experiencia que, sin duda, le fue de gran utilidad como escritor.

Robinson Crusoe apareció en 1719. Quizá el secreto de su éxito universal se deba a la exposición de unos hechos que, de manera palpable, ponen de manifiesto la necesidad que el hombre tiene de integrarse en la sociedad. El relato también aboga por que el ser humano, privado de sus recursos y frente a un medio hostil, puede sacar fuerzas de flaqueza y obtener brillantes resultados gracias a su capacidad creativa. Así, *Robinson Crusoe* representa no sólo el triunfo de la solidaridad humana, sino también el de la mente. Únicamente con su intelecto, el náufrago crea su propio mundo, es decir, los medios necesarios para poder sobrevivir.

Robinson Crusoe es, pues, un gran libro de aventuras, un canto a la individualidad y también a la sociabilidad.

Capítulo I

Nací en el año 1632, en la ciudad de York, en el seno de una buena familia, aunque extranjera en el país. Mi padre fue comerciante en la ciudad de Hull, más tarde se retiró de los negocios y fue a establecerse en York, donde se casó con mi madre, que pertenecía a una de las mejores familias del condado.

Precisamente del apellido de mi madre deriva mi nombre, Robinson Kreitznaer, transformado luego por una derivación en Crusoe, con el que he firmado siempre.

Yo tenía dos hermanos mayores; el primero era coronel de un regimiento de infantería inglesa, y murió en la batalla de Dunkerque contra los españoles. En cuanto al otro, en mi casa nunca se hablaba de él y su destino ha sido para mí un enigma, igual que lo fue el mío para mis padres.

Yo era, pues, el tercer hombre de la familia, y mi padre tenía fundadas en mí grandes esperanzas. Le hubiera gustado que estudiase leyes, y desde mi más tierna infancia se preocupó por mi educación, ya fuera dándome clases él mismo o mandándome a diversas escuelas.

Sin embargo, yo tenía ideas muy distintas dentro de la cabeza. Mi mayor ilusión era convertirme en marino. Quería surcar los mares en busca de las maravillosas aventuras que había oído contar. Parecía que mi fatal destino estaba escrito. Ni las súplicas de mi madre ni las amenazas de mi padre me hicieron cambiar de opinión.

Cuando cumplí dieciocho años fui de visita a Hull y allí me encontré casualmente con un amigo que iba a partir a Londres en uno de los barcos de su padre. Me invitó a ir con él diciéndome que nada me costaría el pasaje. Yo, sin consultarlo, y sin dinero ni ropa, me embarqué el 1 de septiembre de 1651. Día fatídico, ¡Dios lo sabe!

Dudo que ningún joven amante de aventuras como yo haya sufrido tanto. En cuanto subimos al barco empezó una tempestad, con lluvia y truenos. Además, el barco se movía horriblemente. Yo, inexperto como era, me mareé y pasé una de las peores noches de mi vida, en la que tuve tiempo de reflexionar sobre los consejos de mi padre y las lágrimas de mi madre.

A la mañana siguiente vino a verme mi amigo.

—¿Qué hay, Crusoe? ¿Has pasado buena noche?

—Pero si la tempestad ha sido terrible… —respondí confuso.

—¿Tempestad? ¡Vamos, hombre! Eso no era más que un poco de viento. Los marineros, si estamos en un buen barco, no tememos una tormenta tan insignificante. Anda, vamos a tomar un poco de ponche.

Me pasé cinco días en cubierta, bebiendo y acompañado de los marinos. Allí ahogaba mis remordimientos y me sentía feliz y dispuesto para una vida de aventuras.

De vez en cuando venían a mi mente los recuerdos de la casa paterna, pero los ahuyentaba como si se tratasen de algo que me enfermara.

Al llegar cerca de la embocadura del Támesis un terrible viento acometió sobre el barco. Los marinos estaban acostumbrados y no le hacían mucho caso;

seguían divirtiéndose en cubierta al modo de la gente de mar. Pero al octavo día las cosas cambiaron y el viento comenzó a hacerse temible.

Unas olas enormes nos envolvían; un marino dijo que una embarcación acababa de zozobrar a poca distancia de nosotros. Dos barcos pasaron por nuestro lado lanzándose a la ventura, sin mástil.

Es fácil imaginar el miedo que yo sentía. Si el primer pequeño temporal me había asustado tanto, este segundo me parecía una lección excesiva para mi pequeña culpa.

Los mismos marineros confesaron no haber visto jamás un temporal como el que estábamos sufriendo. Una vía de agua se hizo en la cala, y subió un marinero diciendo que fuéramos todos a achicar agua. Yo me tendí en mi cama, de la que vino a sacarme un marinero, diciéndome:

—Ya que hasta ahora no has servido para nada, bien que puedes achicar agua.

Bajé con los demás a la cala y trabajé mucho. El capitán se dio cuenta de que dos o tres embarcaciones muy frágiles se dirigían hacia nuestro barco y podían chocar con nosotros; entonces ordenó disparar un cañonazo, en señal de alarma.

Yo, que nunca había oído ese ruido, creí que el barco había chocado contra alguna roca y que nuestro fin estaba próximo. Entonces me desmayé. Nadie me hizo caso, por supuesto. Sólo un marinero, creyéndome muerto sin duda, me apartó con el pie y ocupó mi sitio en el trabajo. Recobré el sentido al cabo de mucho rato.

La cosa se puso tan mal que tuvimos que lanzar los botes salvavidas al agua y remar fuertemente para alejarnos del buque. Después vimos cómo se hundía. Multitud de gente acudió a la orilla para ayudarnos en cuanto llegásemos.

Después de muchos esfuerzos lo logramos y, por fin, pisamos tierra, siendo tratados por todos como hombres salvados milagrosamente de una muerte segura.

Al cabo de dos días volví a ver a mi amigo. Estaba mucho más desanimado que yo, me dijo que pensaba dejar sus ilusiones de vida aventurera y quedarse en los negocios de su padre, a quien me presentó. Éste me dijo:

—Joven, debe ver en lo sucedido una señal del cielo. Si no vuelve a la casa paterna e insiste en llevar una vida aventurera es seguro que algún día tendrá que arrepentirse.

Casi sin responderle me alejé de ellos y jamás los volví a ver. Como tenía algo de dinero cogí el camino de Londres y durante el viaje pensé seriamente en mi porvenir.

Por un lado quería volver a casa, pero algo muy fuerte dentro de mí me lo impedía, pese a que tenía la plena seguridad de que algo grave iba a ocurrirme como no oyese los consejos que todos me daban.

Al llegar a Londres tuve la suerte de trabar amistad con el capitán de un barco que, habiendo estado en Guinea, con mucha suerte, por cierto, había decidido embarcarse de nuevo hacia aquellas tierras.

Tanto le agradaba mi conversación que me dijo si quería acompañarle. No tendría que hacer gasto alguno, comería con él y además, si quería comerciar, podría embarcar la mercancía sin ningún cargo.

Pedí dinero a mis parientes, que se mantenían en contacto conmigo. Siempre he creído que las cuarenta libras que me mandaron se debían a mi padre.

Gracias al desinterés y cariño de mi amigo logré aumentar considerablemente esa suma durante este viaje, y al volver a Londres tenía trescientas libras esterlinas.

A este primer viaje le debo mucho, pues aprendí en él las reglas de navegación. Pero, desgraciadamente, mi amigo el capitán murió pocos días después de nuestra vuelta, y resolví embarcarme de nuevo en el mismo barco con el hombre que la vez anterior iba de primer oficial, y que ahora lo capitaneaba.

No se puede imaginar viaje más desgraciado. Cerca de las islas Canarias nos sorprendió un corsario turco que pretendió abordarnos. Tratamos de huir, pero al ver que nos daba alcance nos preparamos para hacerle frente.

Nosotros llevábamos doce cañones, y el corsario, dieciocho. A las tres de la tarde se inició el fuego. Nosotros resistimos bien y ninguno de nuestros marinos salió herido.

Pero más tarde, el corsario, viendo que por ese lado no conseguía nada, nos mandó sesenta hombres al abordaje. Eran muy diestros en el hacha y cortaban cables y mástiles. Los rechazamos como pudimos, pero tres de los nuestros murieron y nos vimos obligados a rendirnos.

Nos condujeron al puerto de Salé. A mí no me trataron tan mal como imaginé en un principio. No me llevaron con los demás, sino que, como era joven y fuerte, el corsario me tomó como esclavo suyo y me llevó a vivir a su casa.

Yo planeaba escaparme, imaginando que un día u otro el barco pirata sería apresado por un navío portugués o español, pero pronto perdí las esperanzas, pues cada vez que salía me dejaba en casa al cuidado del jardín, junto a los demás esclavos. Así pasaron dos años, durante los cuales no encontré ninguna ocasión lo suficientemente propicia como para huir.

Hubo una época por aquel entonces en que nuestro amo no salía al mar y sólo cogía alguna vez una pequeña embarcación, en la que remábamos otro esclavo llamado Maresco y yo.

Como pescábamos mucho le dábamos satisfacción y, a veces, nos mandaba con algún pariente o invitado a pasear por el mar. Una de estas veces se levantó a media mañana una niebla muy espesa y, sin darnos cuenta, nos alejamos lo menos dos leguas de la costa, por lo que al despejarse el cielo nos encontramos en alta mar.

Por suerte, y con mucho esfuerzo, pudimos llegar de nuevo a la costa, pero el suceso volvió precavido a nuestro amo, que resolvió colocar en la embarcación unas provisiones y una brújula; mandó a su carpintero, un esclavo inglés, que pusiese en medio de la embarcación una especie de camarote, en el que cabían perfectamente tres personas.

Salía el turco muy a menudo, y nunca lo hacía sin mí, porque me daba mucha maña en pescar. Un día recibió la visita de tres altos personajes y me encargó limpiar y preparar perfectamente la embarcación para salir a la mañana siguiente de excursión.

Puse más provisiones que de costumbre, y me ordenó revisar tres escopetas, que coloqué en el barquito, pues se pensaba cazar y pescar a la vez.

El barco quedó así perfectamente preparado; pero a la mañana siguiente vino mi amo a decirme que sus invitados no podrían acudir a causa de unos negocios, que saliese yo y trajese algo de pesca para la cena.

Fue entonces cuando en mi mente se despertó de nuevo la idea de la fuga. Estaba en posesión de un barco bastante bien equipado; además, fui en busca de un hacha, bramante, cera y más provisiones.

En la expedición me acompañó un pariente del amo, y un joven esclavo llamado Xury.

Cada vez que un pez picaba en mi anzuelo, yo, disimuladamente, lo soltaba, y decía:

—Por aquí no hay pesca; es preciso ir más hacia alta mar, si no nuestro amo va a creer que no hemos puesto empeño en conseguir pescado para la noche.

El turco no sospechaba nada, y cada vez nos íbamos alejando más de la costa. Llegado el momento oportuno, tiré al turco al agua. Enseguida salió a flote, porque nadaba muy bien, y me suplicó que le dejara subir a bordo, diciéndome que me seguiría adonde yo fuera.

Como nadaba con rapidez y la embarcación iba muy despacio, movida sólo con la fuerza del viento, corría el peligro de que me alcanzara. Entonces cogí una escopeta y, apuntándole, le dije:

—Si sigues nadando hacia mí, te dispararé. No quiero causarte ningún mal, de modo que si quieres salvar tu vida nada hacia la costa.

El turco dio media vuelta y se dirigió a la orilla. No había duda de que conseguiría ganarla.

Me volví entonces hacia el otro muchacho, también esclavo.

—Xury, si quieres puedes quedarte conmigo y serme fiel; si no quieres, ya puedes tirarte al mar e ir a la costa a nado.

Xury me dedicó una sonrisa tan inocente que ya no pude desconfiar de él; enseguida me juró fidelidad.

Durante cinco días navegamos sin atrevernos a anclar en ninguna playa, por temor a que los turcos nos apresaran de nuevo.

Al sexto día llegamos cerca de la costa, y yo me propuse ir a nado para inspeccionar el terreno, pero desde la playa se oían rugidos de fieras tan temibles que Xury me suplicó que no me fuera.

Era necesario desembarcar, pues no teníamos ya ni un cuartillo de agua. Xury me dijo entonces que le dejase desembarcar, y al preguntarle yo el motivo me dijo:

—Es que así, si hay salvajes, me comerán a mí, y tú te salvarás.

Desde aquel momento le quise entrañablemente. Yo le respondí:

—No; lo mejor es que vayamos los dos con las escopetas, y así nos podremos defender.

De modo que nos decidimos a bajar a tierra, cerca de un río, y allí llenamos nuestros toneles.

Xury tuvo la suerte y habilidad de cazar una liebre, y con nuestros toneles llenos de agua dulce y la carne fresca nos embarcamos de nuevo, sin haber visto huella de seres humanos por aquel lugar.

Como yo había navegado anteriormente por aquellos lugares suponía que las islas Canarias no estarían muy lejos, pero como carecía de instrumentos adecuados para calcular latitud y longitud, lo único que podía hacer era ir navegando cerca de la costa, que suponía cercana a Marruecos.

Dos veces creí divisar el pico de la isla de Tenerife, pero al intentar internarme en alta mar los vientos me hacían retroceder, por lo que seguí mi primer plan, que era navegar cerca de la costa africana.

Una tarde vimos un león echado en una playa; le dije a Xury:

—Ve a matarlo.

—¡Cómo! ¡Me va a despellejar!

Entonces yo cogí una escopeta y le disparé a la cabeza, pero como la tenía semioculta lo único que conseguí fue romperle la pata delantera. El animal comenzó a rugir de una forma espantosa, y aunque se movía de un lado para otro, disparé de nuevo y conseguí alcanzarle en la cabeza.

Xury me rogó que le dejase bajar a tierra, y fue llevando en una mano la otra escopeta y nadando con un solo brazo; al llegar a la playa disparó a bocajarro sobre el león y acabó de rematarlo.

Sin embargo, yo ya me arrepentía de haber matado a un animal que de nada nos servía, pues habíamos desperdiciado municiones; así que lo despellejamos. La piel se secó en dos días y la usé para taparme.

La única alternativa que tenía era llegar hasta Cabo Verde y allí esperar que llegase algún buque europeo que nos recogiese. Diez días estuvimos navegando.

Una vez divisamos a un grupo de negros que nos miraban desde la playa; iban completamente desnudos; no llevaban armas, pero yo no me fiaba de ellos. Por medio de señas les pedí provisiones y ellos las trajeron, las dejaron en la orilla y se retiraron luego.

Cuando las tuvimos a bordo ellos volvieron a la orilla. No teniendo nada que ofrecerles les di las gracias por señas, pero poco después iba a presentarse la ocasión de devolverles el favor.

Oímos grandes rugidos que venían del monte. Dos animales corrían, uno persiguiendo al otro. Por un momento creía que se trataba de un macho persiguiendo a una hembra, pero luego pude distinguir que se estaban peleando con furor.

Los negros, especialmente las mujeres, se asustaron mucho y se retiraron corriendo, mientras los animales se sumergían en el agua y seguían con su pelea.

Yo estaba prevenido y cuando uno de ellos se acercó más de lo prudencial le disparé un tiro en la cabeza. Se sumergió y luego salió nadando hacia la orilla, donde murió.

Los negros, al oír el disparo, cayeron al suelo y se asustaron; luego, al ver que el animal llegaba muerto a la orilla, lo cogieron y, levantando las manos al cielo, me dieron las gracias.

Se notaba que deseaban la carne del animal, que era un leopardo de una rara especie, y yo les indiqué que podían quedárselo a condición de que me reservasen la piel. Lo hicieron con mucho gusto, y añadieron a sus obsequios más provisiones y agua.

Poco después me despedí de mis amigos negros, que me daban las gracias muy efusivamente desde la orilla.

Me hallaba ensimismado reflexionando sobre el lugar adonde dirigirme cuando Xury gritó:

—¡Un barco de vela!

Rápidamente me asomé y mi amigo y yo hicimos señales para que nos vieran, pero el barco parecía alejarse cada vez más. Al fin nos distinguieron y se acercaron, creyéndonos náufragos de alguna desgracia.

Me preguntaron quién era en español, portugués y francés, y al fin un marino escocés me dirigió la pa-

labra. Entonces conté que era inglés y que me había escapado de la esclavitud de los turcos.

Nos recibieron a bordo muy amigablemente.

Capítulo II

Yo estaba tan contento de verme a salvo que le ofrecí al capitán todo lo que poseía, para que lo tomase como precio del pasaje; pero él me respondió:

—No, señor inglés; yo les he salvado por pura humanidad. No he hecho con ustedes nada que no hubieran hecho conmigo. Además, este barco va a Brasil; si le quito todo lo que tiene, se morirá usted de hambre en aquel país y no podrá volver nunca a su patria, y eso sería quitarle de nuevo la vida que acabo de darle.

Quiso comprarme a Xury, pero yo tenía escrúpulos de vender a aquel muchacho que me había ayudado a conseguir mi libertad; así que le propuse firmar un documento mediante el cual Xury quedaría libre dentro de diez años si se hacía cristiano.

El muchacho aceptó y yo me quedé tranquilo, pues el capitán era un buen hombre.

Al llegar a Brasil el capitán se quedó con todo lo que quise venderle, me dio veinte ducados por la piel del leopardo y cuarenta por la del león.

Conocí por allí a un portugués de padres ingleses llamado Wells, cuyos recursos eran similares a los míos. Compramos unas tierras y durante dos años apenas tuvimos para subsistir, pero pasado este tiempo comenzamos a ganar más dinero. Mandé buscar, con mi amigo Wells, doscientas libras a Londres, que me guardaba la viuda del capitán amigo mío con quien hice el primer viaje a Guinea; pero Wells me recomendó que sólo pidiera cien, pues si por el camino ocurría alguna desgracia siempre tendría otras cien a las que recurrir.

Y así las conseguí, junto con algunos instrumentos útiles para mi plantación. Compré un esclavo negro y luego conseguí otro, con lo que los negocios comenzaron a ir viento en popa.

Durante los cuatro años que permanecí en Brasil llegué a aprender la lengua del país, y además, a relacionarme bastante con los otros plantadores. Yo, como había estado en Guinea, siempre les contaba mis historias, que ellos escuchaban con la mayor atención, sobre todo cuando aseguraba que allí había muchos negros en estado totalmente primitivo, y que te daban lo que querías a cambio de unas pocas baratijas. Entonces el mercado de esclavos era muy limitado, pues España y Portugal tenían el

monopolio de exportación de esclavos negros, y éstos resultaban muy escasos y caros.

A la mañana siguiente de una de las reuniones en las que yo había hablado vinieron a verme tres hombres que me hicieron la siguiente proposición: como andaban faltos de brazos para sus plantaciones de azúcar, me ofrecieron fletar un barco, que yo capitanearía, para dirigirme a Guinea, donde reclutaría negros para que trabajaran como esclavos en sus plantaciones. Proponían también que repartiéramos los negros que yo trajera en cuatro partes, correspondiéndome a mí una sin tener que pagar nada por ella.

En aquellos momentos mis tierras estaban en plena producción; pensaba, además, mandar traer las otras cien libras esterlinas que me guardaba la viuda en Inglaterra, y se me presentaba un brillante porvenir, pero como yo había nacido para labrar mi propia desdicha, acepté embarcar a cambio de que durante mi ausencia se hicieran cargo de la plantación.

Les hice firmar un documento mediante el cual se comprometían a cuidarla, y además hice testamento dejando la mitad de mis posesiones a mis padres y la otra mitad al capitán portugués que me había salvado la vida.

En fin, tomé todas las precauciones precisas, excepto las que debiera haber tomado; es decir, no embarcarme jamás en una aventura semejante. Y equipado con todo me hice a la mar el 1 de septiembre de 1659, precisamente aniversario fatal de mi primera partida en barco hacia Londres, ocho años antes.

Al saltar a bordo dirigimos el rumbo inmediatamente hacia la costa africana. Después de doce días de navegación una tempestad horrible nos envolvió y no tuvimos otra solución que la de dejarnos llevar a la deriva, lo que nos desvió notablemente de nuestra ruta.

Cuando cesó el temporal, el capitán decidió volver a Brasil, ya que el buque se había averiado y hacía agua. Yo me opuse, y calculando que la tierra más

próxima habitada eran los archipiélagos del Caribe, hacia allí nos dirigimos.

Pero tan mala suerte tuvimos que una nueva tempestad desvió nuestro rumbo.

Tras varios días un marinero gritó: «¡Tierra!», pero en aquel momento el barco encalló en un banco de arena y tuvimos que correr hacia el castillo de popa para no ser arrastrados por las olas, que barrían la embarcación.

Sin pensarlo más botamos una chalupa que había a bordo y nos embarcamos en ella once personas.

Cuando nos hallamos en el mar nos dimos cuenta de la importancia del temporal. Las olas se alzaban ante nosotros como gigantes inmensos y comprendimos que no duraríamos mucho sobre la frágil embarcación.

Efectivamente, así fue, y pocos momentos después nos vimos precipitados al agua. Yo me hundí y traté de salir a flote, pero el remolino de una ola me lo impidió.

Por fin logré salir de ella y me vi muy cerca de la playa, aunque medio muerto, por la cantidad de agua que había tragado.

Hice un esfuerzo para salirme de la ola y poder ganar la playa, pero como comprendí que me sería imposible decidí economizar fuerzas y mantenerme a flote.

La segunda ola que llegó me ayudó un poco, llevándome hacia tierra, y yo, aguantando la respiración y nadando, logré llegar al fin. Feliz, me tendí en el suelo y me dormí inmediatamente, exhausto como estaba.

Capítulo III

Al despertarme di las gracias al cielo por haberme salvado la vida. Grité a mis compañeros, pero mis esfuerzos fueron en vano, por lo que deduje que todos debían de haberse ahogado.

El único recurso que se ofreció a mi imaginación fue subirme a lo alto de un árbol y pasar allí la noche para evitar que alguna fiera me atacase. Cogí un garrote para defenderme en caso de peligro y me coloqué de tal forma que no me cayera si llegaba a dormirme.

Como estaba tan fatigado, me dormí enseguida y gocé de un sueño reparador pocas veces igualado. Por la mañana, la tempestad se había calmado y lucía un día maravilloso.

Durante la marea de la noche el barco se había acercado más a la playa, por lo que decidí visitarlo inmediatamente para apoderarme de lo que pudiera resultarme útil.

Lo primero que hice fue investigar qué parte del barco había sido dañada, y si había posibilidades de reparación; éstas se disiparon al primer vistazo. Luego me dirigí al almacén de los alimentos, que se conservaban intactos, y comí ávidamente.

Busqué un bote para transportar las cosas que me parecieron necesarias, pero como no lo hallé hice una especie de balsa con maderos unidos entre sí por cuerdas. La necesidad me volvió ingenioso.

Puse, en primer lugar, unas tablas y maderos; luego forcé las cerraduras de tres de las arcas de los marineros, vacié su contenido y las llené con provisiones, quesos de Holanda, trozos de carne de cabra, pan, arroz, un poco de trigo y de cebada, así como varias ropas que encontré.

Después de mucho rebuscar logré dar con el arca del carpintero, verdadero tesoro para mí. Pensé luego en las armas. En el camarote del capitán se encontraban dos escopetas y dos pistolas; las cogí, así como muchos frascos de pólvora, dos viejas espadas y dos barriles de pólvora.

Pero ahora debía buscar un medio seguro para llevarlo a tierra. Tres cosas me animaron: el ver que el mar estaba tranquilo, que el débil viento me empujaba hacia la playa y que la marea seguía subiendo.

Simplemente me armé con dos remos y me dirigí hacia la playa, pero el mar me llevaba hacia otra dirección, por lo que supuse que debía de existir alguna corriente que quizá me dejaría en una cala donde pudiera establecerme.

Me adentré por un río y busqué cerca de la costa un sitio propicio para desembarcar, pues no quería alejarme mucho del mar, ya que tenía esperanzas de que pasara algún barco por los alrededores.

No sin grandes dificultades logré desembarcar; lo primero que hice fue reconocer el paraje, para encontrar un sitio adecuado donde esta-blecerme.

Por lo que pude deducir, me hallaba en un lugar inculto, probablemente deshabitado y quizá ocupado solamente por fieras salvajes, aunque era cierto que hasta el momento no había visto ninguna.

A una milla, aproximadamente, de donde me encontraba, se situaba una colina que parecía más alta que las demás, desde la cual podría divisar gran parte del terreno y averiguar si estaba en una isla o en un continente.

Cogí una escopeta y uno de los frascos de pólvora, y comencé la ascensión. Llegué a la cima cansado y entonces descubrí lo penoso de mi situación: me hallaba en una isla apartada, y no descubrí más que algunas rocas y otras dos islas más pequeñas.

No había fieras, el parecer, pero sí muchas aves de brillantes colores, totalmente desconocidas para mí. Al bajar de la colina me pregunté si podría sacarles partido, y así, disparé sobre una muy grande que estaba posada en un árbol.

El animal que maté era parecido a un gavilán, pero su carne, de olor fuerte, no valía para ser comida.

Bajé a la orilla del río y pasé el resto del día descargando la balsa. Cuando llegó la noche no sabía dónde dormir, pues todavía temía a las fieras; así que hice una especie de parapeto con las maderas y cajas de que disponía.

A la mañana siguiente pensé, al despertarme, que podría sacar del barco aún muchas otras cosas útiles. Así que resolví aplazar cualquier excursión u otra actividad en tanto no hubiera conseguido sacar del barco lo que pudiera.

Cuando llegué a bordo comencé a construir una segunda balsa, y como ya tenía un poco de práctica la hice rápidamente. Recogí clavos y otros utensilios del carpintero que el día anterior había olvidado, dos docenas de hachas y una piedra de afilar. Lo reuní todo, junto con varias palancas de hierro, dos barriles de balas, siete mosquetes, otra escopeta y perdigones, colchones, todas las ropas que pude encontrar y unas mantas.

Puse mi cargamento en la balsa y me dirigí hacia la embocadura del río. Durante mi ausencia temía que algunas fieras se hubieran comido las provisiones, pero a mi vuelta las encontré en perfecto estado.

Descargué mi segundo viaje y traté de construir una especie de tienda de campaña con unos palos y una tela que había traído. Fortifiqué la parte posterior con las arcas y en la entrada coloqué un arcón vacío de pie. Tendí el colchón en el interior y, por vez primera, dormí en una cama en mi isla.

Dormí muy bien, pues la noche anterior apenas había pegado ojo, y, además, había trabajado mucho todo el día cargando y descargando cosas.

Iba cada día al barco con el pretexto de ir a buscar una u otra cosa. Trece días después de mi llegada a la isla ya había realizado once viajes a bordo.

En el camarote del capitán había una especie de escritorio pequeño lleno de montones de cajoncitos; en ellos encontré unas hojas de afeitar, unas tijeras y cuchillos y tenedores. Y en otro cajón se hallaban treinta y pico libras esterlinas, parte en oro y parte en plata.

Al ver aquel dinero me sonreí, y me dije: «¿De qué me sirves en estos momentos, vil dinero? Lo mejor es que te arroje al mar. Una navaja de afeitar es en estos momentos, para mí, más valiosa que todo el oro del mundo». Pero cuando iba a echarlo al agua me arrepentí y lo empaqueté junto con lo demás.

El viento comenzaba a arreciar a la hora en que ya debía volver a tierra, por lo que pensé que sería una locura tardar más tiempo en salir del barco; así que no perdí ni un minuto y me eché al agua, alcanzando dificultosamente tierra, tanto debido al peso que llevaba como a las olas, que comenzaban a alzarse amenazantes.

A la mañana siguiente, al despertarme, fui a la playa y me di cuenta de que el buque había desaparecido. No me dio gran pena, pues gracias a mi previsión logré sacar de él abundantes cosas, que me sirvieron de mucho en mi larga estancia en la isla.

Capítulo IV

Desde que el barco desapareció bajo las aguas, ya sólo me dediqué a pensar en él para recoger los restos del naufragio que las olas mandaban a la orilla.

Mi obsesión fue entonces construirme una especie de casa para librarme de las fieras y de los salvajes, si los había.

En principio había varias cosas a las que atender a la hora de buscar un sitio. Primero, que tuviera agua potable cerca; en segundo lugar, que no llegasen hasta allí los ardientes rayos del sol; y también era importante que estuviera a salvo de posibles ataques de hombres y fieras. Todo esto sin olvidar que desde él se pudiera divisar el mar, para el caso de que algún navío pasara cerca de la isla; ésta era mi única esperanza.

Explorando el terreno encontré una explanada bastante grande a mitad de camino hacia una colina, pero situada de tal manera que estaba al abrigo de cualquier ataque.

En los lados y delante de mi tienda planté una serie de estacas, unas detrás de otras, de manera que formé una empalizada de dos filas, que luego rematé con unas cuerdas.

Yo estaba tan contento con mi obra y la veía tan sólida que estaba seguro de que ningún hombre o animal sería capaz de atravesarla. Pero tardé mucho tiempo en construirla, pues tuve que cortar la madera de los árboles y transportarla.

Allí llevé mis riquezas, la comida, las prendas de vestir y todos los instrumentos de trabajo, que eran lo más preciado para mí. Al lado de la tienda que utilizaba para dormir armé una más grande, donde metí mis posesiones, ya que las abundantes lluvias del lugar hubiesen podido estropear algo.

Detrás de mi tienda empecé a horadar en la roca para hacer una especie de bodega, al mismo tiempo que las piedras y tierra que sacaba me servían para reforzar la empalizada.

Un día salía yo de mi tienda cuando de una nube negra salió una chispa eléctrica, seguida de un trueno espantoso; pero no fue eso lo que me asustó, sino el pensar que uno de los rayos podría llegar hasta la pólvora. Esta idea me aterró, por lo que decidí, a la mañana siguiente, dividir la pólvora en muchos paquetitos pequeños, que puse separados para que en caso de explosión no se alcanzasen entre sí.

Durante este tiempo no dejaba de salir ni un solo día con mi escopeta al hombro, bien para cazar algún ave para alimentarme, bien para explorar la isla.

Lo que me causó gran alegría fue ver que en la isla se criaban cabras. La desilusión fue también grande al ver que estos animales eran sumamente astutos y que huían con gran rapidez al verme. Pero un día logré cazar uno desde lo alto, y entonces comprendí que su vista les impedía mirar hacia arriba, ya que cuando estaban en el llano y yo iba hacia ellas huían rápidamente.

Esta excursión me proporcionó carne para mucho tiempo, ya que economizaba lo que podía, sobre todo en cuestión de alimentos. El pan, para mí, estaba racionado.

Ahora voy a empezar el relato de mi vida solitaria, como quizá nadie la haya soportado en el mundo, y quiero empezarlo desde el principio.

Según mis cálculos, llegué a la isla el 30 de septiembre de 1659.

Al cabo de unos días de mi llegada me di cuenta de que, no disponiendo de lápiz ni papel, pronto iba a olvidarme de la fecha en que vivía; entonces cogí un palo y marqué en él la fecha de mi llegada: 30 de septiembre de 1659, y a partir de aquel día hacía una raya en el palo. A cada siete, una más grande, y cada mes, una mayor. Así dispuse de un calendario que marcaba perfectamente los días, semanas, meses y años.

Más tarde, en los viajes que hice al buque, encontré papel y tinta, y también algunos compases y otros instrumentos de geometría, así como tres Biblias muy buenas.

También debo decir que en el barco había dos gatos y un perro. Los gatos me los llevé conmigo en mi primer viaje, y en cuanto al perro, me siguió a nado hasta el río.

Este animal fue para mí un amigo fiel durante muchos años; me ayudaba tanto y llegué a quererlo de tal manera que mi mayor deseo era hacerle hablar; pero esto era imposible.

Escribí todo lo que me había ocurrido hasta donde pude, pues cuando mi tinta se acabó ya no tuve con qué reemplazarla.

Como me faltaban muchos útiles avanzaba dificultosamente en las tareas que emprendía, y así tardé un año en construir la empalizada y poder considerar mi hogar como terminado.

Jamás pasaba un día sin que saliera al bosque para buscar alimento. Fue entonces cuando comencé a examinar seriamente mi situación; hice un balance de mi vida, de mi presente y de mi porvenir, para consolar mi espíritu.

Por una parte, había sido arrojado a una isla desierta, sin posibilidades de salir de allí; por otro lado, Dios había permitido que me salvara. Todos mis compañeros habían muerto.

Estaba apartado del mundo, en soledad completa; pero tenía medios de vida suficientes para subsistir dignamente. Tampoco tenía mucha ropa con que cubrirme; pero el clima del que disfrutaba era caluroso y no la necesitaba.

Me veía indefenso contra las fieras y los salvajes que pudieran atacarme; pero en la isla, hasta el momento, no había visto ni una cosa ni otra.

No tenía a nadie con quien hablar, ni persona alguna que me consolase de mi triste suerte; pero Dios, que me había salvado una vez, no iba a abandonarme ahora; y además, había podido coger del buque multitud de cosas útiles.

Así alivié mi espíritu y me acostumbré a consagrarme a una vida de trabajo, sin pensar constantemente en mirar al mar, por si venía algún navío, para no obsesionarme.

Decidí alargar la cueva, cavando hacia el interior del suelo, que era arenoso y blando, y alargué la galería hasta hacer una salida fuera de mi empalizada; así me servía como puerta de escape y también me proporcionaba más espacio para guardar mis mercancías.

Enseguida comencé a fabricarme los muebles necesarios; por ejemplo, una silla y una mesa; luego, una estantería para mis útiles de trabajo. Así mi caverna tomó el aspecto de un almacén. El buen orden que reinaba me hacía encontrar las cosas al momento.

Aunque yo jamás había manejado ningún instrumento manual, gracias a mi ingenio y a la necesidad, me di cuenta de que el hombre está capacitado para resolver cualquier situación por sí mismo, más aún si dispone de herramientas.

Fue por entonces cuando empecé a escribir un diario, en el que expuse el empleo de todas mis horas.

Capítulo V

Después de haberme instalado en mi hogar, y vencidas mis primeras debilidades, empecé a escribir el diario del que doy copia y que continué durante el tiempo que me duró la tinta.

DIARIO

30 de septiembre de 1659.— Yo, Robinson Crusoe, luego de haber naufragado después de una horrible tempestad, llegué a las costas de esta isla, a la cual doy el nombre de Desesperación. Todos mis compañeros tripulantes habían muerto y yo me encontraba falto de vestido, de comida, de amistad, de consuelo y de todo.

Al llegar la noche me subí a un árbol para descansar, y allí me quedé hasta el amanecer.

1 de octubre.— Por la mañana me quedé muy sorprendido al ver el buque todavía encallado en el banco de arena. Esto fue un gran consuelo, pues podía ir a buscar cosas muy útiles. Por otro lado, me dio una gran pena ver que el barco se hallaba en perfectas condiciones, pensando que si nos hubiésemos quedado en él ninguno de mis compañeros habría perecido y yo no estaría solo en estos trágicos momentos.

Una parte del día la dediqué a tristes reflexiones, y luego marché hacia el buque, en el cual construí una balsa y cogí lo que más podía servirme. El viento se había calmado ya.

Desde el 1 al 24 de octubre.— Durante estos días hice varios viajes al barco, del cual saqué todo lo que pude. Estuvo lloviendo mucho.

24 de octubre.— Este día mi balsa se volcó en el río con su carga, pero como es poco profundo la pude recuperar cuando llegó la bajamar.

25 de octubre.— La lluvia siguió durante todo el día y se levantó un terrible viento que destrozó el buque. Este día lo dediqué a buscar un lugar adecuado donde instalarme, pues tenía miedo de que mis efectos se estropeasen debido a las grandes lluvias.

26 de octubre.— Todo el día lo dediqué prácticamente a buscar un refugio. Ya por la noche, encontré un lugar que me pareció adecuado. Al pie de un pe-

ñasco tracé un semicírculo para limitar mi morada, que pensé fortificar con una empalizada.

Desde el 26 hasta el 30 de octubre.— Trasladé mis efectos a mi nuevo hogar. La lluvia no cesó de caer durante todo este tiempo.

31 de octubre.—Por la mañana salí a cazar y pude matar una cabra; como estaba criando, su hijito me siguió, y traté de domesticarlo. Pero no comía, así que decidí matarlo. Con esto tuve provisiones para bastante tiempo.

1 de noviembre.— Construí mi tienda dentro del semicírculo, lo más grande posible, y dormí por vez primera en una hamaca sostenida por estacas.

2 de noviembre.— Puse cerca de mí todas las cajas y arcas que poseía, haciendo una especie de fortaleza alrededor de mi tienda. Así me sentía más protegido contra cualquier posible ataque.

3 de noviembre.— Por la mañana salí con la escopeta y maté dos aves parecidas a los patos, que me parecieron muy sabrosas.

4 de noviembre.— Desde este día comencé a regularizar mis hojas de trabajo. Como por la mañana no acostumbraba a llover, salía con la escopeta un par de horas a cazar. Al regresar, trabajaba hasta las doce. Luego comía y hacía la siesta hasta las dos y por la tarde volvía al trabajo.

Este día y los siguientes los dediqué a construir una mesa. Como no tenía experiencia tardé mucho en hacerla, aunque después adquirí la habilidad del mejor profesional, como le hubiera ocurrido a cualquiera en mis circunstancias.

5 de noviembre.— Esta mañana salí con la escopeta y mi perro, y maté un gato montés. La carne no valía nada, pero la piel era muy fina, y la conservé. Pasé por la costa y vi muchas aves marinas, desconocidas para mí; pero lo que me dejó sorprendido fue la visión de tres vacas marinas.

6 de noviembre.— Tras el paseo matinal me puse a trabajar en mi mesa y la terminé, aunque no demasiado a mi gusto, porque aún no tenía la experiencia suficiente. Sin embargo, pronto pude mejorarla.

Desde el 7 al 12 de noviembre.— El tiempo ha comenzado a calmarse. Todos estos días, exceptuando el 11, que, según mi calendario, era domingo, trabajé en la construcción de una silla, pero no ha quedado a mi gusto.

13 de noviembre.— Cayó una abundante lluvia, que me reanimó mucho y a la tierra le hizo mucho bien; pero estuvo acompañada de truenos y relámpagos que me hicieron temer por mi pólvora.

14, 15 y 16 de noviembre.— Estos tres días los empleé en hacer unas cajas cuadradas, dentro de las cuales puse una o dos libras de pólvora, y las coloqué en diferentes lugares, lo más distantes posible unas de otras. Hice una señal para no olvidarme del lugar donde las había colocado.

17 de noviembre.— Comencé a agujerear el peñasco que está tras mi tienda para agrandar mis posesiones. Sin embargo, me di cuenta de que era esencial para este trabajo contar con un pico, una pala y una carreta para transportar los escombros.

Estuve un rato reflexionando y el pico pude suplirlo con una de las barras de hierro, que era un poco pesada. Pero sin la pala no podía seguir, así que salí al bosque y allí hallé una especie de árbol, que en Brasil se conoce como árbol de hierro, por su extremada dureza. A fuerza de trabajar, y con riesgo de estropear mi hacha, logré partir un trozo y arrastrarlo hasta la casa.

Allí comprobé que la madera era excesivamente dura, lo que me obligó a realizar un trabajo muy arduo. Por fin, tras mucho esfuerzo logré darle la forma de una pala.

Sin embargo, aún me faltaba una carreta. La rueda no supe hacerla; además, me faltaban medios para forjar el hierro del eje, así que al fin construí una especie de artesa, como la que usan los albañiles para amasar el yeso, y en ella transportaba las piedras y la arena sobrantes.

23 de noviembre.— Había interrumpido mi trabajo principal para hacerme estos instrumentos, así que lo reanudé. Trabajé duramente, y al cabo de dieciocho días estaba la gruta terminada. Comprobé con satisfacción que era lo suficientemente grande como para guardar todos mis efectos. Además, me servía de depósito, de cocina, de almacén y de comedor. Siempre vivía en la tienda, exceptuando los días muy lluviosos, así que traté de hacer el lugar más agradable.

10 de diciembre.— Cuando creía que mi bodega estaba ya terminada sobrevino un hundimiento. Me costó mucho trabajo reparar aquel desastre; tuve que sacar la tierra que había caído y apuntalar la cueva para prevenir otro hundimiento.

11 de diciembre.— Continué con esta obra. Coloqué dos puntales a ambos extremos de la cueva, sosteniendo el techo, y durante toda la semana estuve añadiendo otros nuevos para más seguridad. Estos puntales me sirvieron luego para dividir mi casa en diferentes habitaciones.

17 de diciembre.— Este día y los siguientes estuve ocupado colgando estanterías y clavos donde colocar y colgar mis utensilios. Así la cueva tiene un aspecto ordenado que me gusta.

20 de diciembre.— Llevé mis muebles a la cueva, ya que las lluvias no cesan; me dediqué a adornar mi casa y a fabricar una especie de mesa de cocina donde preparar los alimentos.

24 de diciembre.— Todo el día ha llovido intensamente, por lo que no me he movido de casa.

26 de diciembre.— Hoy ha sido un día muy agradable. Por vez primera durante mucho tiempo no ha llovido y el tiempo ha refrescado.

27 de diciembre.— Esta mañana maté a una llama y conseguí atrapar viva a otra. Me la traje a casa y le curé la pata que tenía herida. Como parecía que le gustaba ser alimentada por mí, comencé a acariciar la idea de tener animales domesticados, para asegurar mi manutención.

Del 28 al 31 de diciembre.— Estos días ha hecho mucho calor y nada de viento. Salgo a cazar por la noche y durante el día me quedo en la gruta.

1 de enero.— Sigue haciendo un excesivo calor. Salí por la mañana y por la tarde con mi escopeta. Divisé un grupo de cabras que me parecieron muy salvajes, por lo que no me atreví a acercarme a ellas y me alejé del lugar.

A la mañana siguiente hice una prueba que consistía en que mi perro se acercase a ellas por un lado, mientras yo las esperaba por el otro. Pero las cabras le hicieron frente; el animal, comprendiendo el peligro, no se atrevió a acercarse más.

3 de enero hasta el 15 de abril.— Durante todo este tiempo estuve construyendo mi empalizada. Me dediqué a ello con gran ahínco, a pesar de que la lluvia me molestó no sólo durante días enteros, sino también durante semanas.

Me costó un trabajo ímprobo transportar las estacas desde el bosque donde las cortaba hasta el lugar elegido por mí, y mucho más clavarlas en la tierra, pues eran bastante altas.

Una vez terminada la muralla, la revestí por la parte exterior con plantas, de manera que quedaba oculta y si personas enemigas desembarcaban en la isla, les sería imposible adivinar que tras aquel bosque había una vivienda.

Estos días aproveché también para ir de caza, y en los bosques hice importantes descubrimientos. Por ejemplo, descubrí que había una especie de palomas que no anidan en lo alto de los árboles, sino en los huecos de las peñas.

Cogí a los pequeñuelos para domesticarlos y lo conseguí, pero en cuanto aprendieron a volar se marcharon y no volvieron; quizá porque no les daba la comida adecuada, ya que no sabía qué darles.

Entretanto también encontré nidos de palomas, de los cuales saqué los pichones, que son un manjar exquisito.

A medida que pasaba el tiempo me fui dando cuenta de muchas cosas que me hacían falta, y pensé que para mí era tarea inalcanzable realizarlas con mis manos. Por ejemplo, fui incapaz de hacer un tonel, a pesar de que ya tenía dos que podía tomar de modelo. No pude hacer las junturas de forma adecuada para que el agua no se saliera y tuve que abandonar el proyecto.

Otra cosa que me faltaba era la luz, pues me obligaba a acostarme, o al menos a cesar todo trabajo, cuando anochecía.

El único recurso que hallé fue guardar la grasa de los animales que cazaba, ponerla a secar al sol y luego, con un pedacito de estopa, obtener una pequeña llama, vacilante y mínima.

Un día, ordenando mi habitación, encontré un saco que había traído del barco, que en su día contuvo granos de cebada, pero que estaba roído por los ratones y en él sólo quedaban polvo y cascarillas. Lo sacudí al lado de la peña y lo utilicé para guardar otras cosas. Luego sobrevinieron las grandes lluvias de las que he hablado y cuál no sería mi sorpresa al ver crecer allí, al cabo de los días, unos tallos que en un principio tomé por malas hierbas, pero luego descubrí admirado que se trataban de espigas de cebada de la mejor calidad.

No es preciso decir que las cuidé con esmero y las recogí en el momento oportuno para sembrarlas más tarde. La primera cosecha se me perdió casi entera por no haberla plantado en el momento adecuado. No pude comer pan de cebada hasta al cabo de cuatro años.

Además de la cebada había también unos granos de arroz, que más tarde me dieron fruto.

Durante todos estos meses trabajé con ahínco en mi fortificación. Hice una escalera de mano en vez de una puerta, para disimular más la entrada al recinto.

16 de abril.— Terminé la escalera, gracias a la cual entraba a mi casa por encima de las estacas y luego la guardarla en el interior. Así nadie podría entrar en mi recinto sin saltar.

A la mañana siguiente, me hallaba a la entrada misma de la cueva, cuando la tierra que cubría la parte superior de la bóveda se desplomó por completo; los dos pilares fuertes que yo había colocado crujieron horriblemente. Para no quedarme sepultado entre los escombros corrí rápidamente hasta la muralla e incluso la salté, por miedo a que alguna de las rocas que caían a mi alrededor me diese en la cabeza y me hiriese.

Al mismo tiempo, el mar comenzó a agitarse y rocas enormes caían al agua. Hasta al cabo de unos momentos no me di cuenta de que me encontraba ante un terremoto que un edificio no hubiera soportado, tales eran los temblores de tierra.

Tres veces, con ocho minutos de intervalo, el suelo crujió bajo mis pies. Me senté en el suelo, fuera

del recinto, por el temor que tenía de que la montaña se desplomase sobre mí y quedase enterrado vivo.

Durante todo este tiempo, sólo unas palabras venían a mi mente y a mi boca: «¡Señor, ten piedad de mí!»; pero en cuanto acabó el peligro me tranquilicé un poco.

Poco después comenzó una tormenta de viento y agua. La playa quedó cubierta por la blanca espuma del mar y los árboles fueron arrancados de raíz. Era un terrible huracán. Duró cerca de tres horas, y luego llovió en abundancia.

Entré en la bodega, aun cuando seguía temiendo que se desplomase sobre mí, y tomé un poco de ron.

Luego me puse a hacer un canal para desviar las aguas de la lluvia, sin el cual la cueva se habría inundado. Todo el día y parte de la noche siguiente continuó lloviendo a raudales, de tal modo que fue imposible salir. Cuando me fui calmando, empecé a reflexionar sobre lo que debía hacer.

Me di cuenta de que, estando la isla sujeta a temblores de tierra, no podía ser mi morada una cueva, ya que tarde o temprano acabaría siendo mi tumba.

Resolví entonces construirme una cabaña en un lugar abierto y rodearla de una empalizada parecida a la que tenía en aquel momento, que me defendería de cualquier ataque.

Los días siguientes los dediqué a buscar un sitio adecuado adonde trasladar mi morada.

No me atraía la idea de cambiar de lugar, ya que me había costado mucho esfuerzo construir el que tenía en aquellos momentos, y el orden que allí reinaba me agradaba.

Construí mi tienda al borde de la empalizada, donde apenas corría peligro, y convine en no instalarme en otro lugar mientras no estuviera terminado por completo. Esto ocurrió el 21 de abril.

22 de abril.— Ya por la mañana pensé en los medios de que disponía para construir mi nueva casa. Tenía tres hachas grandes y muchas pequeñas, pues las habíamos embarcado para comerciar con los indígenas, pero casi todas estaban melladas por el uso. Cierto que poseía una piedra de afilar, pero era muy grande y no sabía cómo hacerla girar.

Al fin se me ocurrió un mecanismo muy elemental. Tuve que reflexionar mucho, tanto como un político o un juez, para descubrir el sistema. Puse la cuerda a la piedra y la hice girar con los pies, así me quedaban las manos libres para poder afilar el instrumento.

30 de abril.— Me di cuenta de que mi provisión de galletas se estaba terminando y resolví comer sólo una galleta por día, cosa que me resultaba muy dura.

1 de mayo.— Esta mañana, mirando hacia la playa distinguí un objeto bastante grande que me apresuré a ir a ver. Era un barril que, junto con unas maderas provenía del buque, y que habían sido arrojadas a la playa por el último huracán.

Al mirar hacia el casco del buque me pareció que sobresalía más que de costumbre fuera del agua. Al acercarme vi que había cambiado completamente de posición.

Decidí abandonar mi tarea de construcción de una casa para aprovechar todo lo que pudiera del barco, que ahora se me presentaba más accesible. Bien sabía yo cuánto necesitaba cada objeto.

4 de mayo.— Hoy fui a pescar, pero no saqué ningún pez que me gustara. Disgustado, estaba a punto de irme, cuando logré pescar un pequeño delfín. No tenía anzuelos, pero con el sedal logré pescar algunos peces más; luego, los puse a secar al sol para comerlos secos.

5 de mayo.— Seguí trabajando en el casco del barco serrando maderas, que luego dejé a la deriva para que atracasen en la playa.

8 de mayo.— Hoy volví al buque llevando una palanca de hierro, con intención de acabar de destruir el puente y llevarme lo que pudiera. Dejé allí la barra.

9 de mayo.— Fui al barco y seguí sacando tablas con ayuda de la palanca. También encontré un rollo de plomo, pero era demasiado pesado para poder llevármelo.

Desde el 10 hasta el 14 de mayo.— Durante estos días saqué muchas tablas y unas trescientas libras de hierro del buque.

16 de mayo.— Toda la noche hizo mucho viento, y me pareció que el casco del barco estaba más resen-

tido; me entretuve cazando palomas y luego ya no tuve tiempo de ir allí.

24 de mayo.— Estos últimos días trabajé intensamente en el barco con la palanca, y pude sacar muchas cosas. Desgraciadamente, el viento no venía propicio y muchas de las cosas que arranqué no llegaron a tierra. Sólo unas tablas y un barril lleno de tocino de Brasil, completamente estropeado por el agua y la arena.

Hasta el 15 de junio seguí trabajando con lo mismo, teniendo siempre la precaución de salir a cazar para procurarme alimento. Saqué tanta madera como para hacer una lancha si hubiera sabido y también conseguí, pedazo a pedazo, cien libras de plomo.

16 de junio.— Bajé a la playa y me encontré con una enorme tortuga. Era la primera que veía, a pesar de que el otro lado de la costa estaba infestado de ellas.

17 de junio.— Empleé todo el día en cazar la tortuga. Dentro de ella había sesenta huevos; su carne me pareció la más sabrosa que había comido jamás, pues en la isla mi dieta se reducía a carne de cabra, llama o aves silvestres.

Capítulo VI

18 *de junio.*— Estuvo lloviendo todo el día, por lo que no pude salir a cazar. El agua que caía era muy fría.

19 de junio.— Empecé a sentirme bastante mal y a tiritar de frío. Tuve un poco de fiebre.

21 de junio.— Me sentí muy mal y estaba aterrorizado al verme sin recursos de ningún tipo. Recé a Dios, cosa que no había hecho desde el día del terremoto.

25 de junio.— Tuve mucha fiebre. Durante toda la semana estuve en cama, con accesos de frío y de calor.

26 de junio.— Me encontré mejor y, como ya apenas me quedaban alimentos, salí con la escopeta a cazar. Logré matar una llama, a la que arrastré muy penosamente hasta mi casa.

27 de junio.— La fiebre me subió tanto que me vi obligado a quedarme en cama todo el día sin comer ni beber. Me moría de sed, pero me encontraba tan débil que me fue imposible levantarme a buscar algo para beber.

Entonces volví a acordarme de Dios, y le llamé en mi delirio. Supongo que estuve dos o tres horas repitiendo las mismas palabras, hasta que al fin me dormí.

Y sucedió que me vino un sueño terrible. Un hombre bajaba hacia mí, envuelto en un resplandor tal que apenas podía distinguirle. Cuando sus pies tocaron tierra, ésta tembló de una manera brutal. Ante su presencia yo me sentía sumamente intimidado.

Apenas llegó a tierra, se dirigió hacia mí con el semblante amenazador y, armado con un palo, me dijo estas palabras: «Ya que todos tus trabajos no han servido para que te arrepientas, es el momento de que mueras». Entonces levantó el palo para herirme.

Sé que esto no fue más que un sueño, pero lo viví como si se hubiera tratado de una realidad.

Nunca me habían dado instrucción religiosa; las lecciones que en mi infancia mi padre me había dado, las había olvidado ya. No recuerdo haber tenido un solo pensamiento para con Dios durante los últimos ocho años.

Cierto que cuando llegué a esta playa tuve un pensamiento de reconocimiento y de alegría y di gracias al Señor; pero en realidad no me detuve a pensar que mi salvación se debiese a la mano divina, sino a una simple casualidad.

Sin embargo, en estos momentos, muy enfermo, cuando la muerte danzaba a mi alrededor, algo cambió y mi conciencia, adormecida durante largo tiempo, se despertó y reconocí que Dios podía venir a castigarme por mi ingratitud.

La Providencia me lo había dado todo para vivir tranquilamente. Mas, insensato de mí, abandoné a mis padres para llevar una vida de aventuras; era justo que ahora tuviera que pagar las consecuencias.

28 de junio.— Ya más tranquilo después de las fiebres, me levanté. Luego salí con la escopeta, lleno de melancolía y sintiéndome muy débil. A la noche, asé tres huevos de tortuga y ésta fue la primera vez en mi vida que bendije los alimentos antes de tomarlos.

Quise dar un paseo y me senté en la arena, reflexionando sosegadamente. Llegué a la conclusión de que si estaba en aquella situación de desesperanza era porque Dios había decidido castigarme, pues Él era dueño de todo lo creado.

En aquel mismo momento, una voz interior me gritó: «¡Desgraciado! ¿Acaso has hecho algún bien en tu vida?».

Mis pensamientos se detuvieron y, no sabiendo qué contestarme, me levanté para volver a mi hogar. Entonces recordé que los brasileños no usaban otra cosa que tabaco para curar las enfermedades, y como precisamente tenía bastante en un cofre, lo cogí. Por casualidad, a su lado se encontraban las Biblias que hallé en el barco, y que nunca antes había abierto.

Cogí una y la abrí, mientras tomaba un poco de tabaco verde y lo masticaba; también eché unas hojas al fuego y aspiré profundamente su olor. Abrí al azar y hallé una frase que decía:

«Invócame en los momentos de aflicción, y yo te libraré de ella».

Era ya muy tarde y el humo del tabaco me había embotado los sentidos. Antes de acostarme hice algo que nunca antes había hecho. Me arrodillé a los pies de mi cama y rogué a Dios que me ayudase. No desperté hasta el día siguiente a las tres de la tarde; o quizá habían pasado otro día y otra noche.

Fuera como fuese, me hallé muy recuperado y al ponerme en pie sentí mi estómago dispuesto para comer. Era el 29 de junio.

El 30 salí con mi escopeta procurando no alejarme demasiado. Maté dos o tres patos y los llevé a casa, mas no me atreví a comerlos y me contenté con tres huevos de tortuga.

4 de julio.— Esta mañana cogí la Biblia y comencé a leer el Nuevo Testamento, y me impuse como obligación leer un párrafo cada mañana al levantarme, no siguiendo adelante hasta no haberlo comprendido bien.

Recordé con horror mi vida pasada y las faltas que había cometido y me sentí con una fuerza nueva. Las palabras «te libraré» tomaron para mí un sentido distinto. La libertad no era aquí física, sino espiritual. Pedí a Dios fervorosamente que me librase de todo mal.

A partir de entonces las cosas cambiaron: mi vida espiritual cobró más importancia. Rezaba frecuentemente y hablaba con Dios pidiéndole perdón por mis anteriores pecados. Poco a poco, fui encontrándome mejor.

Desde el 4 hasta el 14 de julio.— Di frecuentes paseos con la escopeta al hombro, cazando y tratando de recuperarme aspirando aire puro.

Hacía ya cerca de diez meses que me encontraba en la isla de la Desesperación; estaba convencido de que no podría salir de ella y de que jamás criatura humana había pisado aquel suelo. Debía trasladarme cuanto antes de morada y reconocer la isla paso a paso, cosa que anhelaba desde hacía tiempo.

15 de julio.— Comencé una pequeña expedición de reconocimiento. Fui hasta la bahía donde desembocaba el río y lo recorrí. En sus orillas había hermosas explanadas llenas de maleza; más hacia arriba crecían tallos de tabaco y otras plantas que me eran desconocidas.

Vi algunas plantas que quizá tuvieran propiedades curativas o alimenticias, pero no sabía entonces para qué servían; también cañas de azúcar silvestre.

16 de julio.— Seguí la aventura y avancé un poco más el camino que empecé el día anterior. Vi que la campiña comenzaba a estar poblada de árboles llenos de frutas. Había matas de melones y uvas riquísimas, pero comí de todo con moderación.

Luego aprendí la manera de cogerlas y secarlas al sol, para tener provisión de ellas en los meses en que no las hubiera frescas.

A la mañana siguiente seguí con el reconocimiento. Descubrí un terreno abierto surcado por un riachuelo.

Entré en el valle con satisfacción, pensando que todo aquello era de mi posesión y que hubiera podido transmitirlo a mis herederos si hubiese estado en Inglaterra. Vi limoneros, naranjos y cocoteros silvestres, todos con buena fruta.

Resolví coger bastantes frutas y llevármelas a casa, ya que temía que se aproximase la época de las lluvias, durante las cuales apenas podría salir. Cogí unos racimos y unas naranjas y limones, y decidí volver al cabo de unos días con un saco para recoger unos montones de uvas que hice.

Regresé tras tres días de ausencia a mi casa, y mi sorpresa fue grande al ver que en tan poco tiempo las uvas que llevaba se habían echado a perder, de manera que no pude aprovechar ni un solo racimo; las naranjas estaban bien, pero había pocas.

Volví con un saco al lugar donde había dejado la fruta y la encontré también echada a perder y medio comida, por lo que supuse que habría alguna especie de roedor por allí.

Opté, pues, por colgar racimos de las ramas de los árboles para que se secasen, y cogí todas las naranjas y limones que mi espalda pudo soportar.

Me admiró la situación de aquel valle tan fértil, al abrigo de las tempestades, con un riachuelo y un bosque cerca. Pensé que la zona que escogí al principio era la peor de la isla para instalarme, y decidí regresar a aquel lugar para ver si era posible encontrar un buen sitio donde levantar mi nueva casa.

Por otra parte, el lugar donde ahora me encontraba estaba cerca de la costa, y no podría descartar la posibilidad de que la desgracia arrojara a otros náufragos como yo, o que algún barco parase para coger agua. Retirarme a las montañas era renunciar para siempre a mi libertad.

Sin embargo, quedé tan prendado del valle que pasé el resto del mes de julio en él. Formé un pequeño jardín, que cuidaba con esmero, cercándolo con una fila de estacas muy alta. Desde entonces me hice la idea de que tenía una casa en el bosque y otra en el mar.

Cuando terminé mi obra y comenzaba a gozar de ella llegaron las lluvias, y tuve que retirarme a la cueva; pues aunque allí coloqué una tienda de campaña no era lo suficientemente fuerte y resistente como para soportar grandes lluvias.

3 de agosto.— Encontré los racimos perfectamente secos colgados de los árboles; los descolgué, e hice bien, pues poco después comenzó a llover y se me hubieran estropeado. Éstas eran las mejores provisiones para el invierno. Tenía más de doscientos racimos.

En cuanto terminé de transportarlos a mi morada, comenzaron las lluvias, que duraron hasta mediados de octubre. Algunos días llovía con tal fuerza que me era imposible salir de casa.

Fue durante estos días cuando mi gata volvió con tres gatitos. Me sorprendió el hecho de que los cachorros fueran verdaderos animales domésticos. El único gato que yo había cazado durante mi estancia

en la isla era un gato montés, y yo sólo tenía dos gatas. ¿Cómo se explica esto?

Mientras duraron las lluvias intensas trabajé diariamente dos o tres horas en agrandar mi cueva, y profundizaba, hasta el punto de que logré hacer una salida fuera del recinto.

30 de septiembre.— Hoy hace un año que estoy en la isla. Funesto aniversario. Las marcas hechas en el tronco así lo denotan. Poco después mi tinta comenzó a disminuir y ya sólo consigné en mi diario las cosas interesantes, para economizar.

Capítulo VII

Empecé a aprender el ciclo de la estación lluviosa y la seca, y así supe preverlas y hacer en cada una lo que convenía. Pero el estudio me costó caro. Ya he dicho que poseía un poco de cebada y arroz. Yo creía que la época posterior a las lluvias sería la mejor para sembrarlas, pues haría mucho sol.

Así, cavé varios surcos y allí deposité los granos. Afortunadamente, se me ocurrió que quizá lo mejor sería no sembrarlo todo en aquel momento pues, si por desgracia se perdía la cosecha, me quedaría sin nada absolutamente.

Gracias a Dios que lo hice, ya que los meses siguientes eran la estación seca y no llovió ni una sola vez, por lo que el grano se secó; pero cuando vino la estación lluviosa comenzaron a crecer como si acabara de sembrarlos.

Así aprendí que podía hacer dos siembras al año; una en febrero y otra en verano.

Tan pronto como volvió el buen tiempo regresé a mi casa de la campiña, encontrándola en perfecto estado. Lo curioso era que las estacas que había arrancado de árboles cercanos, habían echado raíces y tenían ramas hermosísimas.

Entonces me di cuenta de que se podían dividir las estaciones, no en verano e invierno como en Europa, sino en lluviosa y seca. Desde mediados de febrero hasta abril: lluvia. Desde mediados de abril hasta mediados de agosto: tiempo seco. Luego, hasta la mitad de octubre, lluvia, y el resto, seco.

Como ya sabía cuándo iban a venir las lluvias yo hacía mis previsiones, y así no me veía obligado a salir durante el mal tiempo. Aprovechaba entonces para hacer cosas en casa. Hice muchas cestas que me fueron muy útiles para guardar infinidad de utensilios y comida.

También necesitaba una pipa y barriles, así como un recipiente donde cocer los alimentos, pues todo lo tenía que comer asado, y me hubiera gustado a veces hervir o guisar.

En la época seca cogí mi escopeta y crucé el valle donde tenía mi casita de campo, llegando hasta el otro lado de la isla. Desde la orilla divisé tierra. Pensé que probablemente se tratase de América del Sur y que sería posesión española; pero también que podría estar habitada por salvajes.

Así que el nuevo descubrimiento no turbó mi reposo y no deseé ir a reconocer aquel extraño país, ya fuera isla o continente. Por otro lado, pensaba que si, efectivamente, era tierra española un día u otro pasaría cerca de mí un barco.

Por aquellos lugares había muchos papagayos. Pensé coger uno para enseñarle a hablar.

Andando por la orilla del mar llegué a otro lugar paradisíaco; y entonces sí que me convencí de que había ido a vivir al peor lugar de la isla. Vi un valle fertilísimo lleno de aves muy distintas a las que habitaban en el otro lado de la isla; la playa estaba llena de tortugas.

En verdad, aquello era muy hermoso; pero me daba pena trasladarme allí, pues ya me había acostumbrado a mi casa y no tenía deseos de cambiarme. Puse como señal un madero clavado en el suelo, pensando en volver a mi casa, y emprender luego desde allí la ruta del oeste para encontrar la estaca y así rodear por completo la isla.

Llegué a mi casa unos días más tarde. Durante el camino, mi perro acorraló a una llama joven. Fui en su ayuda y no la maté, sino que le puse una cuerda alrededor del cuello y la arrastré hasta mi morada.

Siempre había soñado con tener un par de llamas, macho y hembra, para que criasen y tener así un pequeño rebaño con el que alimentarme cuando se me acabasen las municiones.

Con el tiempo la llama se hizo muy hermosa y me seguía a todas partes, llegando a ser uno de los principales miembros de mi «familia».

Llegó de nuevo el 30 de septiembre, fecha de mi llegada a la isla. Dos años hacía ya, y este día lo empleé en dar gracias a Dios humildemente por los bienes que tenía, y por conservar mi salud física y mental hasta el momento.

Y así, contento, comenzó mi tercer año en la isla. Dividía las horas del día en diversas ocupaciones: leer las Sagradas Escrituras, hablar con Dios, cazar para procurarme alimento, hacer la comida y poner en orden mis cosas.

Tuve también que hacer un cercado alrededor del campo donde había sembrado los granos de arroz y cebada, pues pequeños roedores se comían las hierbas que crecían a flor de tierra y no daban tiempo a que se formase la espiga. Esto me llevó tres semanas. Luego, a finales de diciembre, me construí una hoz para recoger las espigas.

Y así fue como me convertí en agricultor, además de todas las otras profesiones que ejercía. Tuve también que hacer un arado, un rastrillo, un molino, un tamiz para la harina y, al fin, un horno para cocer el pan.

Entretanto me distraía en enseñar a hablar al papagayo, a quien puse el nombre de Poll. Decidí hacer vasijas de barro para cocer alimentos y transportar otras cosas. Pensando que la temperatura de la isla en los meses de calor era muy elevada, creí que encontrando la tierra adecuada y, después de

moldearla dejándola secar al sol, se volvería lo suficientemente resistente.

Hice con acierto vasijas pequeñas, platos, vasos, ollas y cántaros. El sol les daba una gran dureza, así que podían contener líquidos y resistían al fuego.

Un trozo de vasija quedó entre los tizones y vi que estaba perfectamente cocido. Pensé que si un trozo había quedado tan bien, podrían quedar también perfectamente las vasijas enteras. Así que mantuve un fuego muy intenso dos o tres horas. Al final conseguí dos cántaros y varios cazos perfectamente cocidos, si bien no eran muy perfectos en la forma.

Con todo no olvidaba la isla o continente que había visto desde la otra parte de mi isla.

La idea llegó a obsesionarme, de manera que decidí hacer una visita a la chalupa del buque que estaba encallada en la costa. La encontré en el mismo lugar, pero volcada boca abajo y llena de arena. Si hubiera tenido ayuda quizá hubiera podido darle la vuelta, pero solo era prácticamente imposible.

Así que pensé en construir una canoa como las que hacían los naturales de los países salvajes, ahuecando un árbol.

Animado por esta idea comencé a construirla con ahínco. Tres meses trabajé en ella, y cuando llegó el momento de botarla al agua me vi en la imposibilidad de moverla debido a su gran peso. Desanimado por completo por mi fracaso, la experiencia me sirvió para no emprender una obra sin haber reflexionado antes bien sobre ella.

Capítulo VIII

Ocupado en aquella empresa acabó mi cuarto año en la isla, y celebré el aniversario con la misma alegría y fervor que los anteriores. Gracias a mis reflexiones y oraciones a Dios, mi punto de vista había cambiado. Ahora el mundo me parecía algo lejano, del que nada tenía que esperar.

Me encontraba en mi isla, lejos del mundo y sus tentaciones; era el señor de aquella tierra. Nadie me disputaba la soberanía. Tenía grano en abundancia, pero sólo plantaba el que era preciso para mi subsistencia; veía diariamente muchas tortugas, mas únicamente cazaba las precisas para alimentarme. Tenía también madera para construir una flota, y racimos de uvas para cargar varios navíos; pero todo era para mí, y sólo utilizaba lo que me era preciso para mi subsistencia, sin acaparar.

La experiencia me había enseñado que las cosas son buenas en cuanto sirven para nuestro uso pero, pasando de ahí, todo lo que amontonemos no nos será útil a la larga, pues tendremos que tirarlo.

Aun cuando fuera el poseedor de miles de diamantes les hubiera hecho el mismo caso. Mi espíritu estaba tranquilo y feliz, y sentía una especie de placer que ni yo mismo comprendía. Que sirva esto de lección para los que no saben aprovechar lo que Dios les da diariamente y no gozan de los placeres de la vida, aun cuando lo tienen todo a su alcance.

Guardaba todas las pieles de los animales que cazaba y las tendía al sol; debido a la alta temperatura, algunas se pusieron muy duras y tuve que tirarlas, pero otras me sirvieron para hacerme una gorra, un macuto y unos calzones. Desde luego era muy mal sastre...

Empleé mucho tiempo en hacerme un parasol, que me resultó muy útil, tanto para preservarme de la lluvia como del sol. Ya se ve que comencé a vivir con bastante comodidad.

Nada de particular ocurrió durante los cinco años siguientes en la isla. Seguía llevando una vida regular y ordenada. Mis principales ocupaciones eran cazar, cuidar el campo, mis animales y mi casa. Durante dos años construí una canoa más pequeña que la primera; pero una vez terminada me di cuenta de que era demasiado frágil para emprender con ella un viaje hasta la otra isla.

No obstante pensé probarla navegando alrededor de la isla. Para este fin la equipé lo mejor que pude; puse un pequeño mástil con una vela y el parasol para que me sirviera de tienda y me resguardara del sol.

Por último coloqué unos víveres y al fin salí hacia el este, el día 6 de noviembre del quinto año de mi estancia en la isla. El viaje resultó más largo de lo que creí, pues por aquella parte la isla era muy larga.

Al llegar al final, descubrí un paraje lleno de rocas que no me atreví a cruzar, así que eché el ancla y salté a tierra.

Después de indagar, descubrí que tras las rocas existía una bahía, donde podía quedarme, y así salté de nuevo a la canoa y seguí remando hacia allí. Pero de pronto me sentí arrastrado por una corriente contra la cual no podía hacer nada. No había viento que me ayudase a salir de ella, y los remos eran

inútiles. Me veía arrastrado cada vez más lejos de la isla.

Se levantó entonces un poco de viento y gracias a él pude zafarme de la corriente, y entré en otra que me arrastró hasta la isla. En cuanto llegué a tierra me arrodillé dando gracias a Dios y me dormí inmediatamente por el cansancio.

Estaba muy lejos de mi casa, mas no me atrevía a volver a salir al mar. Había corrido muchos peligros, así que busqué un lugar adecuado donde guardar mi canoa. Y emprendí a pie mi regreso al hogar. Cuando llegué a mi segunda casa caí rendido y dormí profundamente.

Cuál no sería mi sorpresa cuando, por la mañana, una voz me despertó: «¡Robinson Crusoe! ¡Pobre Robinson Crusoe! ¿A dónde has ido? ¿Dónde estás?».

Estaba tan rendido por el cansancio que me era difícil despertarme del todo; cuando lo hice me di cuenta de que era Poll, mi papagayo, a quien había enseñado estas frases y otras similares anteriormente, y que ahora las repetía.

Durante el siguiente año estuve ocupado en perfeccionar mi estilo como carpintero y al final se podía considerar que era bastante bueno si se tenían en cuenta los pocos instrumentos de que disponía. Fabriqué también más vasijas de barro, e incluso pude hacer una pipa. Igualmente me perfeccioné en el arte de la cestería.

Fue entonces cuando comencé a notar que mis provisiones de pólvora disminuían, y como era algo imposible de reponer, comencé a pensar qué podría hacer cuando se terminara. Hacia el tercer año, como ya he dicho, cacé una llama joven, pero nunca pude conseguir un macho, así que la pobre se fue haciendo vieja, y al final se murió.

Me encontraba ya en el undécimo año de mi estancia en la isla y se me acababa la pólvora; de modo que me las ingenié para hacer algunos lazos para conseguir cazar llamas vivas; pero siempre me encontraba el cebo comido y los lazos rotos. También traté de hacer agujeros y luego cubrirlos con ramas, para que cayeran encima, pero tampoco esto tuvo éxito.

Sólo una vez después de mucho tiempo conseguí encontrar en una trampa un macho de llama muy grande. Era tan bravo que no me atreví a bajar para llevármelo, así que lo solté. Entonces no sabía que el hambre domestica a los animales. Si le hubiera dejado tres o cuatro días en el agujero y luego hubiera ido con agua y comida, hubiese venido tras de mí.

En otra trampa encontré tres crías, que domestiqué. Pero era necesario hacerme con una especie de establo donde los animales estuvieran seguros, ya que de lo contrario se escaparían en la primera ocasión.

Busqué para eso un lugar adecuado, con agua, y allí construí un cercado donde puse a mis tres crías, que ya me conocían y me seguían balando. Al cabo de un año y medio tenía doce cabezas de ganado entre machos, hembras y crías.

No sólo tenía toda la carne que quería, sino también leche, alimento en el que al principio no había pensado. Yo no sabía hacer queso ni manteca, pero tras muchos esfuerzos infructuosos logré dar con ello.

Y así vivía, con mis animales del rebaño, mi perro, que ya era viejo y gruñón, mi loro, y dos gatos que eran hijos de una de las gatas primitivas.

Cualquiera que me hubiera visto se hubiera reído de mi aspecto. Yo a veces pensaba cuánto chocaría mi indumentaria si llegara a verme alguno de los transeúntes de alguna calle de Londres.

Llevaba una enorme gorra de piel de llama para protegerme de los rayos del sol; otra piel que me cubría los hombros y la espalda; un chaquetón, también de piel de llama, que me llegaba hasta los muslos; unos calzones abiertos hasta las rodillas y unas botas extrañas, también de piel, que me protegían maravillosamente.

Me ataba en la cintura un cinturón de piel lisa en cuyos lados sujeté un hacha, una sierra y unas bolsas para mis municiones y alimentos. En la espalda colgaba mi escopeta y mi inseparable parasol portátil.

Al principio me había dejado la barba pero, como luego encontré las navajas y las tijeras, me la

recorté, dejándome sólo el bigote, que en Inglaterra hubiera parecido monstruoso por sus dimensiones.

Decidí construirme otra canoa en mi casa, para tener una a cada lado de la isla. Tenía dos casas en la isla; más de dos plantaciones y el recinto para el ganado. Esto demuestra que no era perezoso ni ahorraba esfuerzos para conseguir más comodidades y seguridad para el futuro.

Capítulo IX

Cierto día, andando por la playa, descubrí la huella de un pie descalzo sobre la arena. Me paré frente a ella como herido por un rayo. Escuché con atención y no oí nada; luego subí a una colina desde la cual se divisaba bastante terreno. Nada.

Paseé por la playa y miré de nuevo las huellas para asegurarme de que no se había tratado de una ilusión. Éstas tenían todas las características de un pie humano. ¿Cómo habría podido llegar hasta allí?

Volví a mi casa, corriendo, atemorizado por el miedo y mirando continuamente detrás de mí; todas las sombras del bosque me parecían hombres acechándome.

Nadie puede imaginarse las ideas que pasaron por mi mente en aquellos momentos. Cuando llegué a mi casa entré en ella rápidamente. Por la noche no pude conciliar el sueño. Lo cierto es que no descubrí más huellas y tampoco vi el barco que debía de haber transportado a este hombre.

Entonces vino a mi mente una idea más terrible. Quizá los salvajes del continente habían llegado a las costas de la isla en busca de algo, o en una simple excursión. En ese caso, yo me encontraba en un verdadero peligro. Tal vez se hubieran ido ya, pero puede que hubieran descubierto mi piragua y que me estuvieran buscando afanosamente por toda la isla.

Empecé a rezar a Dios. La idea de los salvajes me obsesionaba. A medida que pasaba el tiempo, llegué casi a convencerme de que las pisadas que había visto eran las mías.

Mas no podía estar completamente seguro hasta que yo no fuera al lugar y las midiera para ver si correspondían a mis pies. Esto fue lo que hice aquella misma tarde, y con terror observé que yo nunca había pasado por aquel lugar; además, las huellas medían mucho más de lo que medían mis pies.

Regresé a mi hogar y no pude pegar ojo durante toda la noche, aunque por la mañana me quedé dormido. Al despertarme, mi ánimo estaba más tranquilo y pude reflexionar.

Si durante quince años no había visto a nadie en la isla, seguramente era debido a que, de vez en cuando, venían pueblos errantes del continente para tratar de establecerse en una isla tan fértil y cercana a tierra. Luego, por las razones que fuese, no les interesaba y partían de nuevo.

Por si acaso esto ocurría alguna otra vez, tenía que protegerme; y entonces me dediqué a construir una doble empalizada alrededor de mi casa aprovechando las estacas, que luego se convirtieron en árboles. Las uní con grueso cable y así me sentí totalmente a salvo de posibles ataques salvajes.

Dejé siete aberturas lo suficientemente amplias como para pasar un brazo y en ellas coloqué mis siete mosquetes. Los dejé allí dispuestos para disparar en el momento oportuno.

También planté otras estacas de sauce que crecieron rápidamente, de manera que al cabo de cuatro años estuve rodeado por una espesa selva, tras la cual nadie se hubiera podido imaginar que había una vivienda.

Estas precauciones no fueron inútiles, según se verá luego, aunque de momento no parezcan más que exageraciones mías. Como no había dejado ninguna entrada, puse otras escaleras por las cuales salía y entraba, retirándolas luego.

Dos años tardé en dejarlo todo dispuesto y no me sentí seguro hasta que estuvo terminado. No olvidé durante todo este tiempo mis diarias ocupaciones, entre las que estaba cuidar de mi rebaño de llamas.

Después de varios días de reflexión decidí construir una cueva donde encerrar a las llamas por las noches, y además, hacer tres pequeños cercados, en cada uno de los cuales encerraría a media docena de ellas, de manera que si algún cercado era descubierto y destrozado, siempre me quedaría otro donde habría algunas llamas.

Busqué entonces por toda la isla un lugar idóneo para construir un cercado, y encontré uno muy adecuado, adonde llevé dos jóvenes hembras y dos llamas machos.

Paseaba yo por la parte donde anteriormente había visto las famosas huellas, cuando vi un penoso espectáculo que me heló el corazón: no muy lejos de allí se hallaba una explanada, cerca también de la playa, que estaba cubierta de cráneos y huesos humanos. Vi un lugar donde habían encendido lumbre y distinguí un círculo pintado en el suelo, donde probablemente se sentaran aquellos salvajes para celebrar sus crueles festines.

Ni el miedo me dio fuerzas para correr. Me quedé inmóvil unos minutos mirando el terrible espectáculo. Cuando pude reaccionar me dirigí hacia mi casa, dando gracias a Dios por haberme hecho nacer en un lugar civilizado, donde los hombres no se comen los unos a los otros.

También era cierto que en quince años nada había visto. Bien podían pasar quince años más sin que nadie me descubriera. El tiempo comenzó a darme de nuevo seguridad y ya comenzaba a vivir tranquilo, con la única preocupación de no ir a la parte posterior de la isla para no ser visto por los caníbales, si acaso llegaban.

Como tenía medios para alimentarme, durante estos dos años no disparé ni una sola vez el fusil, aunque siempre que salía llevaba dos pistolas al cinto, además del sable.

Y así siguió pasando el tiempo, mientras yo me sentía cada vez más dichoso por la vida que Dios me había deparado, y pensando que los hombres, en vez de quejarse, deberían dar gracias a Dios y no comparar su existencia con la de los más pobres y los más ricos.

Para entonces había pocas cosas que me hicieran falta, por lo que apenas trabajaba ya. Así, mi imaginación estaba ocupada en pensar de qué manera podría sorprender a aquellos salvajes en una de sus orgías, matar a muchos de ellos y salvar a las posibles víctimas. Pero, ¿qué iba a hacer un hombre solo contra veinte o treinta salvajes vigorosos?

Pensé en hacer un agujero debajo del lugar donde acostumbraban a hacer fuego y colocar en él unas libras de pólvora, para que hicieran explosión en el momento oportuno. Pero no debía desperdiciar mi pólvora, de la que sólo me quedaba un barril y, además, quizá la explosión no tuviera lugar en el momento oportuno y los salvajes hiciesen indagaciones por toda la isla, cosa que no me convenía en absoluto.

Al fin di con un plan mejor: montar mis tres escopetas en un lugar escondido, para que cuando estuviesen en medio de su festín, pudiera disparar y matar a dos o tres con cada disparo. Luego caería sobre ellos con mis pistolas y después con mi cuchillo. De este modo podría acabar con todos.

Hallé al fin un lugar a propósito, en la pendiente de la colina, donde podía aguardar tranquilamente la llegada de las piraguas con la seguridad de no ser visto. Desde allí podía divisarlos bien, y disparar certeramente en el momento oportuno.

Cada mañana salía de mi casa y subía hasta la colina, cargado con mis dos mosquetes, mi escopeta de caza y dos pistolas, y miraba al océano, por si divisaba alguna piragua o cosa que se le pareciese e ir a emboscarme con toda rapidez.

Subí todos los días durante dos meses, pero como nunca vi nada, desistí, y ya sólo subía de vez en cuando.

Después de haber reflexionado largamente, me di cuenta de que aquellos salvajes no eran más asesinos que los cristianos que pasaban a cuchillo a tropas enteras aun cuando se hubieran rendido.

El que se devoraran unos a otros no debía importarme. En realidad, cada pueblo tiene sus costumbres, y pese a que unas nos parezcan muy bárbaras e inhumanas, quizá otras de las nuestras lo resulten a los ojos de un salvaje.

Así que me convencí de que no debía atacarlos, salvo en caso de que atentasen contra mi vida o mis posesiones, y que mi interés inmediato era esconderme y no mezclarme para nada en asuntos ajenos.

Me limité a llevarme del sitio donde estaba oculta la canoa y la coloqué en una pequeña rada, a salvo de los rompientes y muy escondida. Y además traté de hacer desaparecer cualquier vestigio humano sobre la isla.

A partir de entonces me volví más precavido que nunca; no salía más de lo preciso, sólo para cuidar mis llamas o procurarme alimento.

Ni siquiera me atrevía a clavar un clavo o cortar leña por temor a hacer ruido y ser oído, y me sentía angustiado en cuanto tenía que encender lumbre, por temor a que el humo se divisase a gran distancia.

Por ello decidí hacer carbón. Al principio encendía fuego colocando maderas bajo tierra, como había visto hacer en Inglaterra, hasta que éstas se convertían en carbón. Luego apagaba el fuego y conservaba este carbón para emplearlo en guisar mis comidas, sin temor a que produjera humo.

En cierta ocasión que me hallaba buscando leña encontré una especie de cueva, en la que penetré instigado por la curiosidad. Una vez en su interior tuve que salir precipitadamente, pues dos ojos enormes me miraban desde la oscuridad.

Cuando me hallé en el exterior, volví a recobrar mi ánimo y me decidí a entrar de nuevo, pensando que, fuese lo que fuese, Dios me protegía. Armado de valor, cogí un tizón encendido y entré de nuevo. No había dado ni dos pasos cuando me sentí de pronto tan asustado como antes, pues del interior salían unos suspiros ahogados, como de una persona que estaba sufriendo.

Seguí avanzando a pesar de todo, y alzando todo lo que pude el tizón encendido logré distinguir un macho cabrío enorme que se estaba muriendo de viejo.

Le hostigué un poco por ver si podía hacerle salir de allí, pero no se movió, ya que estaba moribundo. Más tranquilo, me dediqué a reconocer la gruta, pues pensé que, si a mí me había asustado, también asustaría a los salvajes si entraban.

Me dio la impresión de que aquella caverna tenía unos cuatro metros de extensión. Tenía una forma irregular, y a buen seguro que jamás había pisado en ella un pie humano. Descubrí, en cuanto me acostumbré a la oscuridad, una especie de abertura más pequeña, a través de la cual logré salir casi arrastrándome.

Pensé en volver al día siguiente con velas y una cuerda para no perderme en su interior. Y así lo hice.

Encontré entonces otra abertura, por la cual me arrastré cerca de cinco metros, cosa bastante arriesgada para mí, que no podía saber lo que se ocultaba tras el pasadizo. Al salir encontré una cueva enorme, donde fui sorprendido por el más bello espectáculo que haya visto jamás. Las piedras que cubrían la bóveda reflejaban la luz de mis dos velas en mil colores diferentes. ¿Serían brillantes, piedras preciosas, oro? No lo sé.

El suelo estaba cubierto de fina arena, y no se veían animales por ningún sitio. Tenía el inconveniente de que era oscura y la entrada era muy angosta. Pese a ello, resolví trasladar allí las posesiones que me causaban mayor inquietud: mi pólvora y las escopetas y mosquetes, que no necesitaba por el momento.

Con ocasión del traslado abrí el barril de pólvora que se había mojado, y descubrí con agrado que sólo la parte externa había formado una especie de costra, con lo cual el resto se conservaba en perfectas condiciones.

Para mí resultaba aquello muy importante; dejé tres libras en mi casa y el resto lo transporté a la cueva, junto con el plomo que tenía para hacer balas.

Me comparé con los gigantes que, según las leyendas, vivían en lugares semejantes y jamás podían ser descubiertos por sus enemigos. Aunque los salvajes me buscaran por toda la isla jamás lograrían encontrarme.

El viejo macho cabrío murió al día siguiente. Cavé una fosa para enterrarlo en la misma cueva y no tener que arrastrarlo hasta el exterior.

Hacía ya veintitrés años que yo vivía en soledad en la isla, y era probable que siguiera así durante toda mi vida, muriendo al final completamente solo, como aquel macho cabrío.

Tenía mis distracciones favoritas. Por ejemplo, había enseñado a hablar a Poll, mi papagayo, que me fue siempre una gran compañía hasta el día que murió de viejo, dieciséis años después de haberlo recogido.

Igualmente, tenía siempre a mi alrededor dos o tres llamas domesticadas, a las que daba de comer de mi mano, y dos o tres papagayos más que sabían pronunciar mi nombre, aunque no con la perfección de Poll, si bien es cierto que no me había tomado el trabajo de enseñárselo.

En fin, que me hubiera sentido completamente dichoso si no hubiera sido por el temor que me inspiraban los salvajes. Y precisamente, durante el mes de diciembre del vigesimotercer año de estancia en la isla, como era época de recolección, yo me veía obligado a salir diariamente de mi hogar para trabajar en el campo. Uno de estos días vi un gran resplandor, como de fuego, en la parte de la isla donde se encontraba mi casa.

Me metí dentro de mi fortaleza, la cual disimulé lo mejor que pude, y luego me preparé para la defensa. En primer lugar cargué mis mosquetes, que estaban colocados en las fortificaciones, y todas las pistolas, a fin de mantener a raya al enemigo si éste llegaba a presentarse.

Rogué a Dios para que me ayudase en ese momento de peligro, y después de esperar largo rato no pude contener mi curiosidad y subí a la cima del peñasco que estaba sobre mi casa para ver si divisaba algo. Con ayuda de los anteojos descubrí nada menos que nueve salvajes desnudos, sentados alrededor de una hoguera.

Cerca de ellos se hallaban dos canoas, a las que habían arrastrado hasta el interior de la playa. Calculé que en aquel momento subía la marea y supuse que esperaban su descenso para irse.

Entonces me tranquilicé al pensar que probablemente vendrían solamente a la hora de la pleamar, así que el resto del día no tenía por qué tener miedo. Efectivamente, cuando comenzó a bajar la marea, los salvajes montaron en sus canoas y partieron, después de haber ejecutado unas extrañas danzas.

En cuanto vi que se alejaban, salí con mis dos escopetas y mi sable, y me dirigí hacia el lugar donde habían estado. Con horror observé que cerca de la hoguera se esparcían restos humanos: sangre, huesos y trozos de carne. Con gran indignación volví a pensar en caer sobre ellos en cuanto volviesen, aunque fuese mayor su número.

Pero sus visitas a la isla debían de ser muy raras, ya que durante quince meses no les volví a ver.

Era a mediados del mes de mayo, y yo me encontraba leyendo la Biblia y meditando sobre mi situación, cuando un ruido parecido a un cañonazo me conmovió.

Salí de mi casa con gran rapidez y, en un momento, me subí al peñasco para ver de qué se trataba. Entretanto sonó otro cañonazo. El ruido provenía del lugar donde mi barco había naufragado años atrás.

Al principio pensé que se trataba de algún barco que, hallándose en peligro, disparaba para pedir ayuda. Como era de noche, no veía nada, y pensé que aunque yo no podría ayudarle, él quizá podría ayudarme a mí, y encendí una gran hoguera, que mantuve toda la noche.

Desde la embarcación debieron de haberme visto, pues apenas empezó a salir humo se dejó oír un tercer cañonazo. Por fin amaneció y entonces logré vislumbrar en el mar una vela.

Todo el día mantuve la vista en aquel lugar, y el barco no se movió, por lo que deduje que debía de estar anclado allí. Movido por una curiosidad lógica, me acercaba hasta la playa para ver de cerca el navío, cuando me di cuenta de que durante la noche un barco se había estrellado en la costa, víctima de las mismas corrientes que destrozaron la embarcación en la que yo había naufragado.

Probablemente la tripulación entera había perecido, pues no se divisaba a nadie por la playa. Otra posibilidad es que hubieran salido en una chalupa en busca de la salvación y fueran arrastrados por la corriente hacia el océano.

O también podía ser que ni siquiera hubieran divisado la isla. En fin, todo esto no eran más que conjeturas, pero en aquellos momentos yo pedía con gran fervor que algún ser humano se hubiera salvado de la catástrofe.

Todos aquellos pensamientos me hacían rogar a Dios, dándole gracias por los beneficios que me había otorgado, años atrás, al salvarme la vida.

Pero no se salvó nadie del desastre. Unos pocos días después descubrí con dolor el cuerpo de un gru-

mete destrozado contra las rocas. Tenía en sus bolsillos dos piezas de oro y una pipa, de gran valor para mí.

El objeto lejano dentro del mar seguía viéndose, y yo, que tenía deseos de ver si alguien se encontraba en su interior, y pensando también que de todos modos quizá encontrara cosas útiles, decidí hacerme a la mar con mi embarcación.

Una vez decidido, volví a mi casa y allí preparé todo lo preciso para la expedición. Agua, pan, una brújula, ron y uvas. Cargado con todo esto me dirigí hacia mi canoa; allí lo coloqué y volví de nuevo a mi casa para recoger otras cosas, entre las cuales estaban un saco de arroz, el parasol, una botella de leche y un queso.

Una vez que todo se encontró dispuesto en la canoa, dirigí una oración a Dios y me lancé al mar. Cuando llegué a la punta noreste de la isla llegó también el momento peligroso. Si me dejaba llevar por la corriente, quizá me perdería en el océano, y mi barca, demasiado frágil, naufragaría.

Resolví, al fin, desembarcar, subir a lo alto de una roca y desde allí observar atentamente los movimientos de la bajamar y pleamar, así como las corrientes y sus cambios.

Me quedé observando un largo rato, tras el cual deduje con alegría que la hora más adecuada para salir era por la mañana, en el momento en que acabase de subir la marea.

Tras dormir en mi embarcación, salí a alta mar y alcancé el buque en menos de dos horas. ¡Qué triste espectáculo se presentó ante mi vista! El buque parecía español, y estaba encallado entre dos peñascos. Un perro me saludó desde el puente, y al llamarlo saltó a mi embarcación. Estaba medio muerto de hambre y le di pan y agua.

Luego subí al barco. Allí vi a dos hombres ahogados. Ningún ser viviente se hallaba a bordo. Cogí dos cofres de los marineros que deposité en mi embarcación. Luego, un barril de pólvora de cuatro libras, unas tenazas y una pala, así como un barril de licor.

Me llevé al perro y regresé a la isla aprovechando las mareas. Llegué, muy cansado del viaje, a la una de la madrugada, y me fui a dormir. A la mañana siguiente trasladé lo que había traído no a mi casa, sino a la gruta escondida.

En los cofres hallé unas cajas de dulces, botellas de bebidas espirituosas, pañuelos, camisas y otras ropas de poco valor. En fin, el viaje no fue muy provechoso, ya que, si bien en un cofre había gran cantidad de oro, éste no me servía para nada, y lo hubiera cambiado con gusto por unos zapatos y calcetines.

Consideré que el barco transportaba grandes riquezas, pero que éstas se habían hundido en el mar al chocar éste de proa. Era una lástima, pues las hubiera llevado a mi gruta, por si alguna vez regresaba a Inglaterra.

Durante los dos años siguientes, mi mente estuvo preocupada por la idea de huir, de escapar de la isla, de llegar adonde fuera. Estoy seguro de que si hubiese tenido una pequeña embarcación un poco más consistente que mi piragua me hubiera atrevido a salir al mar.

También pensé en volver al barco español, pero no me compensaba el viaje por los peligros que corría.

Llegó el mes de marzo del año vigesimocuarto de mi llegada a la isla. Era una noche tranquila, en la que, a pesar de mi buena predisposición de ánimo, no podía conciliar el sueño. Me puse a meditar. Al principio de mi llegada a aquel lugar yo nada sabía de los salvajes, por lo cual me hallaba tranquilo y relativamente seguro, aun cuando lo más probable es que hubieran desembarcado cien veces.

En cambio ahora, al saber que de vez en cuando atracaban en la isla, me sentía angustiado todo el tiempo por temor a ser descubierto; reflexioné luego sobre la vida de aquellos salvajes y en el modo de ir a tierra firme y burlarles para no ser descubierto.

También consideré la idea de encontrar en el camino algún buque español o portugués que me acogiera; mi sangre hervía ante el nuevo proyecto y no veía sus peligros y dificultades; en aquellos momentos sólo pensaba en salir de la isla como fuera, y me veía a mí mismo como el hombre más solo y desgraciado del mundo.

Tras largas horas de reflexión, me dormí profundamente y tuve un raro sueño. Soñé que al salir de mi casa una mañana veía a un grupo de salvajes que estaban a punto de degollar a un hombre para comérselo. Yo corría en su auxilio y lograba poner en fuga a los demás; este hombre, agradecido, se quedaba a mi lado y llegaba a ser mi criado. Con el tiempo yo pensaba en arriesgarme a ir hacia la costa, pues él sabía los lugares peligrosos y los deshabitados.

Al despertarme comprendí que la única forma de escapar era conseguir algún salvaje, civilizarle y tenerle a mi servicio, y después intentar escapar de la isla con él.

Por una parte, mi humanidad se negaba a tal proyecto, pero vencieron mis ansias de salir de mi encierro, y durante año y medio fui casi diariamente a la costa, aunque no logré divisar un solo salvaje.

Capítulo X

Pasado este tiempo, divisé una mañana cinco canoas reunidas sobre la playa. Subí al peñasco y observé que unos treinta salvajes bailaban alrededor de una hoguera.

Vi desde lo alto del peñasco cómo traían de una de las piraguas a dos infelices negros atados. Uno de ellos cayó muerto por un golpe de maza, porra o algo parecido. El desgraciado que esperaba su turno, concibió durante unos segundos algo de esperanza, y salió corriendo en dirección a mi casa.

Yo me estremecí; por una parte, quizá penetrara en mi selva, y allí podría resguardarle, pero si todos los salvajes le perseguían, éstos quizá descubrieran mi morada y atacasen.

Con mis anteojos descubrí que sólo tres hombres le perseguían, y que el fugitivo llevaba gran ventaja sobre ellos.

Consideré que había llegado el momento oportuno para adquirir un criado y quizá también un amigo, y bajé precipitadamente para salvar al negro huido.

Me interpuse entre el perseguido y los perseguidores, y llamé al negro para que me ayudase. Al principio tuvo más miedo de mí que de sus verdaderos enemigos, pero se tranquilizó un poco al ver mis señas amistosas. Entonces me arrojé sobre uno de los perseguidores, y le dejé sin vida de un culatazo. No me atrevía a disparar por temor a atraer a todos los salvajes.

Pero al volverme vi que el segundo me apuntaba con su arco y una flecha, por lo que me vi obligado a disparar. El negro estaba tan aturdido por la emoción y el disparo que parecía tener más deseos de huir que de acercarse a mí.

Yo empecé a animarle por señas para que se acercara, y le sonreí de una forma muy dulce. El salvaje se fue acercando, y cuando llegó a mi lado se postró, me besó los pies y puso uno de ellos sobre su cabeza, en señal de agradecimiento.

Luego me pidió permiso para examinar el arma con la cual había matado a su enemigo. La observó cuidadosamente, y después miró la herida del salvaje.

Le di a entender con gestos que lo mejor era escapar, para que si venían los otros no nos encontrasen. Por medio de señas también me dio a entender que lo mejor sería enterrar a los muertos, para que los demás no descubriesen huellas.

Luego le conduje a la gruta para mayor seguridad, y allí le di de comer y beber agua, y le dejé dormir.

Era un joven de muy buena traza, ni muy alto ni muy grueso, pero bien proporcionado. Sus cabellos eran largos y muy negros, y en su rostro no expresaba dureza, sino una gran dulzura.

Su piel no era negra, aunque sí muy morena, parecida a la de los habitantes de Brasil; su cara era redonda y los dientes blancos como el marfil.

Me hallaba ordeñando las llamas cuando salió de la caverna y vino hacia mí, arrodillándose de nuevo y haciendo gestos de sumisión; al mismo tiempo hablaba palabras incomprensibles para mí, pero que me sonaban a música, después de haber pasado tantos años oyendo sólo mi propia voz.

Traté de enseñarle algunas palabras, entre las cuales estaba el nombre que le había dado, Viernes, por ser éste el día de la semana en el que lo había salvado.

También le enseñé a decir sí y no, y le di vestidos, pues estaba completamente desnudo. Esto pareció agradarle.

Pero luego me dijo que podríamos desenterrar a los que habíamos matado para comérnoslos. Yo le demostré un gran horror y enfado cuando le entendí, y sin más le di un tazón de leche de llama y un pedazo de pan, que comió con agrado.

Después puse en sus manos una espada y nos fuimos al lugar donde el día anterior habían estado los salvajes. Allí vi un espectáculo que me heló la sangre, aunque a Viernes no le hizo el menor efecto.

Por el suelo se hallaban esparcidos huesos, tres cráneos, cinco manos y otros restos humanos.

Según pude entender se había librado una batalla entre dos tribus y unos habían vencido y capturado cuatro prisioneros. Se habían comido a tres, y Viernes era el cuarto.

Le ordené que hiciera un montón con los huesos y la carne, y lo quemara. Bien a las claras veía que tenía grandes deseos de comer algo de aquello, pero mi enfado era tan grande que no se atrevió a tocar un solo trozo.

Luego nos fuimos a mi casa y allí le proporcioné unos calzones, una chaqueta de piel de llama y una gorra de piel de liebre. Estaba contento por verse casi tan bien vestido como su amo, pero le resultaba sumamente incómodo el atuendo.

A la mañana siguiente construí una cabaña entre las dos fortificaciones que rodeaban mi casa. Por la noche retiraba la escalera. Allí dormía Viernes, que no hubiera podido penetrar en mi recinto sin hacer bastante ruido, y así yo me sentía a salvo y él dormía cómodamente.

Pero no hubiera sido preciso tomar tantas precauciones, pues nadie habrá tenido jamás un criado tan fiel como lo fue Viernes para mí; me amaba como un hijo a su padre, y no dudo en decir que hubiera sacrificado su vida por mí.

A mí también me agradaba mucho mi nuevo compañero y le enseñaba a hablar mi idioma y otras muchas cosas. Era un buen discípulo, siempre contento y aplicado. Mi existencia era entonces tan feliz, que no tenía ya deseos de salir de allí, a no ser por el temor que me inspiraban los salvajes que de vez en cuando llegaban a mi isla.

Una mañana resolví hacer desistir a Viernes de su antropofagia, haciéndole probar otra clase de carne. Fuimos al bosque y allí encontramos una llama perdida. Apunté con mi escopeta y disparé. El pobre muchacho pensó que quería deshacerme de él, y me suplicó de rodillas que no le matase. Yo lo levanté con cariño y lo llevé junto a la llama, para que la viera y perdiera el temor.

Llegamos a casa y allí desollé la llama y puse a cocer unos trozos de carne en el fuego. Al dárselos a probar a Viernes, me demostró que le gustaba mucho; lo que le sorprendió era ver que yo lo condimentaba con sal. Para darme a entender que la sal no era buena, se puso un pedazo de sal en la boca, lo escupió con asco y luego fue a enjuagarse la boca con agua dulce. A la mañana siguiente le preparé carne de llama asada, y me dio a entender que le había gustado muchísimo, y que jamás volvería a comer carne humana.

Consideré que ahora éramos dos a comer, y decidí que era necesario ampliar mis terrenos agrícolas. Viernes empleó poco tiempo en aprender multitud de cosas y era para mí una gran ayuda.

Aquél fue el mejor año que yo pasé en la isla, pues Viernes hablaba ya bastante bien el inglés y yo estaba muy contento con él, con su carácter dulce y alegre.

Una vez le pregunté:

—¿Tu nación es muy grande?

—¡Oh, sí! Siempre vencer en todos los combates.

—Y dime una cosa, Viernes. ¿Qué hace tu nación con los hombres que coge prisioneros?

—Los comemos.

—¿Y adónde los lleváis?

—Aquí a veces, o a otro lugar mejor.

—¿Tú has venido alguna vez con ellos?

—Sí, algunas veces.

Tras esta conversación, pregunté a Viernes si el continente estaba cerca de la isla, y si se precisaban canoas grandes para llegar hasta allí.

Me respondió que no había ninguna dificultad, ya que había un viento que circulaba en una dirección por las mañanas y en sentido contrario por las tardes. Al principio creí que se refería a las mareas, pero luego comprendí que aquel fenómeno era motivado por la fuerza de la corriente del río Orinoco, en cuya embocadura estaba situada mi isla, y aquella tierra que yo divisaba a lo lejos era la isla de Trinidad.

Pregunté muchas cosas a Viernes sobre su país, las costas, los hombres, las costumbres, y me contestó a todo lo que yo le preguntaba. Me contó que las tribus vecinas se llamaban *caribs,* por lo que deduje que se trataba de los caribes.

Luego me contó que más allá de donde se pone la luna había muchos hombres blancos como yo, barbudos, y que mataban a muchos de los suyos. Traté también de averiguar si con su ayuda podría llegar a la isla donde estaban esos hombres blancos, y me dijo que sí, en una gran canoa.

Entonces yo me sentí alegre y alenté la esperanza de salir algún día de mi encierro, contando con mi compañero.

Desde el momento en que éste empezó a comprenderme, yo traté de llegar a su alma, contándole historias religiosas. El pobre no me comprendía. Una vez le pregunté quién le había creado. Me contestó que su padre.

—No, yo me refiero a quién ha creado todas las cosas, los mares, las tierras, los hombres.

—Un viejo llamado Benamuki, que nacer antes que el sol, la luna y todas las cosas.

—¿Y los que mueren en tu país, van a alguna parte?

—Sí, van a ver a Benamuki.

Aproveché para instruirle acerca del verdadero Dios. Él me escuchaba con gran atención.

Nuestra convivencia se hizo más íntima porque ya Viernes hablaba bastante bien el inglés y podíamos comprendernos. Yo le narré todas mis aventuras.

También le conté muchas cosas de Europa y de Inglaterra, de cómo vivíamos, etc. Me dijo luego que a su país habían llegado diecisiete hombres blancos en una barca grande.

Comprendí que se trataba de los marinos del buque español que yo hallé encallado, quienes, probablemente, saltaron a la chalupa antes de que el barco quedase destruido.

—¿Pero tu pueblo no se los comió?

—Mi pueblo sólo comer a los prisioneros de guerra. Ellos convivir con nuestro pueblo.

Una mañana que Viernes se hallaba en lo alto de la colina, se puso a dar saltos y gritos de alegría. Yo le pregunté qué le ocurría, y me respondió:

—Aquello ser mi nación.

A lo lejos se divisaba tierra, y el pobre se sentía feliz al verla. Yo empecé a recelar. Temía que, llegada la ocasión, Viernes me abandonara y olvidara los principios religiosos que yo le había inculcado.

Pero como su alma era tan pura y sencilla, no pude por menos que abrirle de nuevo mi corazón.

—Viernes, dime, ¿no te gustaría volver a tu nación?

—Sí, mucho.

—¿Y qué harías allí? ¿Comerías otra vez carne humana?

—No, yo enseñar a comer carne de animal, leche y pan.

—¿Y si no te hacen caso y te matan?

—No, ellos no matar. Ellos querer aprender.

Me contó que su tribu había aprendido mucho de los hombres de las barbas, y yo le prometí hacerle una canoa para que pudiera volver a su patria. Me contestó rápidamente que no pensaba irse si no era conmigo.

—¡Pero me comerían si voy allí!

—No, ellos no comer. Ellos estar contentos. Tú salvarme.

Todo esto me animó a enseñarle a Viernes la canoa que tenía escondida al norte de la isla; vimos que se hallaba en buenas condiciones y la botamos. A él le pareció pequeña para un viaje largo, y luego le enseñé la primera que había construido, que estaba reseca por el sol.

Me dijo que una canoa como aquélla era suficiente para llegar a su país, pero no quería oír hablar de partir sin mí.

No pude por menos que decirle que jamás se apartaría de mi lado en tanto él no quisiera. Pero mi única intención era ir a su país para encontrarme con los diecisiete hombres con barbas, y no para quedarme allí para instruir a su pueblo como él pretendía.

Cortamos un gran árbol y comenzamos la construcción de la canoa. Tardamos un mes y medio, y cuando la botamos flotaba perfectamente. Tardamos todavía dos meses en instalar un mástil y una vela, que cosí yo mismo con pedazos que encontré medio podridos; luego construí un timón con gran trabajo, y tardamos varios días en que Viernes se familiarizase con el uso del timón y la vela, pues él sólo conocía la navegación con remos.

Había entrado ya el año veintisiete de mi estancia en la isla, y celebré el aniversario con el mismo fervor y agradecimiento a Dios.

Cubrimos nuestra piragua para que no se estropease, y aguardamos al mes de noviembre, que era para cuando había fijado el proyecto de ir hasta el continente.

Una mañana mandé a Viernes, como lo hacía una vez por semana, a la playa en busca de tortugas. Al poco rato regresó gritando:

—¡Ah, qué desgracia! ¡En la playa, una, dos, tres canoas!

Salí corriendo y vi que, efectivamente, había tres canoas. Viernes estaba terriblemente asustado, creía que habían venido expresamente a buscarle a él y que iban a devorarle.

Me subí a la cima del peñasco, y con los anteojos pude divisar veintiún salvajes, que llevaban tres prisioneros, a quienes probablemente aguardaba un fin horrible.

Me indigné tanto que bajé y le dije a Viernes si se hallaba dispuesto a seguirme, pues había decidido matarlos a todos. Me contestó que sí.

Le di entonces tres escopetas y una pistola y yo me equipé también lo mejor que pude. Después, salimos hacia la playa.

Dimos un rodeo, y durante el camino me preguntaba qué motivos tenía para ensuciar mis manos de sangre. Al fin me decidí a emboscarme tras unas matas y observar su sangriento festín, y no intervenir a no ser que sucediese algo.

Viernes, que miraba atentamente a los salvajes, me dijo que estaban devorando a uno, y luego matarían a otro hombre, que era uno de los barbudos que habían ido a su país.

No había tiempo que perder, pues en pocos minutos los salvajes lo matarían. Ambos disparamos al mismo tiempo. Viernes hirió a tres hombres y mató a dos; y yo maté a uno y herí a otros dos. Luego salimos al descubierto y nos lanzamos a desatar al hombre blanco.

Los negros, que no sabían de dónde provenía aquello que les mataba y hería, corrían aterrorizados por la playa; varios consiguieron entrar en una canoa e intentaron huir. Al punto le dije a Viernes que les persiguiera. Eso hizo y mató a varios.

Yo desaté al hombre y le pregunté quién era. Me contestó en latín: *Christianus.* Pero estaba tan débil que no podía levantarse. Le di un poco de ron que llevaba y luego me dijo que era español.

—Señor —dije en lo que recordaba de español—, ahora es preciso luchar. Si se siente con fuerzas, tome esta pistola y este sable.

Y, como si las armas le hubiesen comunicado nueva fuerza, se levantó y comenzó a luchar contra los salvajes, que estaban aturdidos por los disparos y no sabían ni adónde dirigirse.

Todos luchamos valerosamente, y después de hacer recuento vimos que no había quedado en la isla ningún hombre vivo: todos habían muerto o logrado huir.

Sólo en el fondo de una de las canoas que quedaron en la playa encontramos a un desgraciado atado de pies y manos. Estaba tan asustado que no podía ni hablar, y creía que íbamos a matarle. Nos apresuramos a desatarle y tranquilizarle.

Capítulo XI

Se me acercó Viernes, y yo le dije que tratase de confortar al pobre salvaje en su lengua, pues se hallaba muy nervioso. Pero cuál no sería mi sorpresa al ver que los dos hombres comenzaron a gritar de alegría al tiempo que se abrazaban.

—¡Es mi padre! —me aclaró Viernes.

Tanto él como el español estaban muy débiles, así que construí unas parihuelas para que Viernes y yo pudiéramos trasladarlos a nuestra casa. Allí se quedaron a descansar.

En cuanto mis pobres huéspedes estuvieron cómodos, me dediqué a alimentarles. Cociné un guisado estupendo con carne de llama, y junto con pan de cebada, un poco de ron y uvas pasas, se lo serví.

Me senté con ellos y todos comimos a gusto. Viernes era un excelente intérprete, no sólo con su padre, sino también con el español, ya que éste sabía bastante la lengua de los salvajes.

Cuando terminamos de comer mandé a Viernes a recoger nuestras armas, que habíamos dejado tiradas por las prisas y la crudeza del combate. A la mañana siguiente le envié a que enterrase a los salvajes, ya que expuestos al sol podrían causarnos enfermedades, y a que retirase todos los restos del sangriento festín. Así lo hizo.

Por la tarde, comencé a hablar con mis huéspedes. Primero pregunté a Viernes si creía que los salvajes iban a volver en mayor número para vengarse de lo ocurrido.

Me respondió que lo más probable era que, debido al mal tiempo, aquellos desgraciados no llegaran a tocar tierra; y si por casualidad lo habían hecho, irían tan asustados por los rayos y truenos que les habían acometido, que lo más probable era que jamás se aventurasen a volver de nuevo a la isla.

En esto tuvo razón, pues desde aquel día no volvieron los salvajes a atracar en la isla, pues creían que aquello había sido obra de dioses o diablos, mas no de hombres.

El español me contó que él iba en un buque fletado en Río de la Plata para ir a La Habana, en donde debía desembarcar una carga de pieles y dinero. Iban en el barco cinco portugueses que habían recogido de un naufragio. Cinco hombres de los suyos habían muerto, llegando el resto extenuados a las costas del continente, donde temían ser devorados de un momento a otro.

Me dijo que tenían algunas armas, pero completamente inútiles, debido a que carecían de pólvora y a que, además, se habían mojado. Una vez aceptados por los indígenas, vivían miserablemente, y todas las veces que habían tratado de hacer una embarcación para salir de allí, habían caído en la desesperación, pues carecían de herramientas para construirla y de víveres para la travesía.

—Mire, a mí me han ofrecido que si les llevo a su patria me van a ayudar —le dije—; pero temo alguna traición por su parte. Una vez en su tierra quizá piensen de otra manera. Por otro lado, estoy seguro de que en mi isla se puede construir con facilidad una embarcación lo suficientemente grande para poder llegar a tierra civilizada.

El español me respondió que, si yo quería, él podría volver a tierra con el viejo salvaje y una vez allí les haría firmar a todos bajo juramento que me respetarían y que reconocerían en mí al capitán, y que luego él volvería trayéndome la respuesta.

Añadió que allí todos se hallaban muy faltos de vestido y de alimento, y que me estarían agradecidos el resto de sus vidas si llegaba a sacarles de tan apurada situación.

El viejo salvaje estuvo de acuerdo pero, cuando todo estaba preparado, el español encontró un problema. Me dijo que sus compañeros se hallaban en tierra descontentos por falta de alimentos; que en la isla no habría suficiente comida para todos si llegaban dentro de poco, por lo que les parecería haber salido de una situación miserable para caer en otra. Además, debíamos tener en cuenta que, si pensábamos realizar un largo viaje, no tendríamos provisiones.

Por todo esto, pensamos que lo mejor en ese momento era sembrar un campo grande de cebada y no partir en busca de los otros hombres en tanto no hubiera asegurada cierta cantidad de grano para hacer pan.

Al mismo tiempo tratamos de construir la embarcación. Poco a poco y con grandes esfuerzos lográbamos cortar maderos, con los cuales se iba formando nuestro barco.

También Viernes y yo cazábamos llamas para aumentar el rebaño, pues en cuanto llegaran a la isla dieciséis personas más, los alimentos tendrían que ser mucho más abundantes.

Me preocupé asimismo de recoger racimos y colgarlos al sol; tantos cogí que hubiera podido llenar con ellos sesenta u ochenta barriles. Las pasas, junto con el pan, eran nuestro alimento cotidiano.

Y con todo esto llegó el tiempo de la recolección. En cuanto el grano estuvo puesto a buen recaudo, nos dedicamos a aumentar nuestra provisión de cestas de mimbre, en cuya ejecución el español era muy diestro.

Al fin, ya teniendo todo preparado, permití ir al español junto con el anciano salvaje al continente, haciéndole prometer que no dejaría saltar a bordo a ningún hombre que no hubiese pronunciado el juramento de respetar y defender a la persona que se hallaba en la isla, y de acatar todas sus órdenes.

Después de haberles dado todas las instrucciones precisas, les entregué un mosquetón con ocho balas, recomendándoles que no hiciesen uso de ello, a no ser en caso de gran necesidad. También les proveí de alimentos suficientes para varios días de viaje, y convine una señal con el español para conocerles en cuanto llegaran a tierra.

Y así partieron un día de luna llena, que supuse sería favorable para el viaje.

Hacía ya ocho días que esperaba la vuelta del español y sus compañeros, cuando Viernes entró en mi habitación gritando:

—¡Han venido!

Yo me levanté al punto y salí sin pensar en coger ni escopeta ni pistola. Al llegar a la playa me di cuenta de que no se trataba de la gente que aguardábamos, pues no venían del continente, sino de la parte opuesta.

Llamé a Viernes y le recomendé que se ocultase, pues no sabíamos todavía si se trataba de amigos o enemigos. Apenas llegué a lo alto, distinguí perfectamente a dos leguas de la playa el buque anclado. Con gran alegría reconocí un buque inglés, y vi una chalupa que se acercaba, también inglesa.

Pero empecé a reflexionar al mismo tiempo: ¿Qué hacían por aquella zona los ingleses? Aquél no era camino para ir ni volver a ninguna de las regiones con las cuales Inglaterra se relacionaba comercialmente.

Veía también que no era un temporal lo que les había obligado a llegar a mi isla. Por lo tanto, si efectivamente eran ingleses, quizá no venían a tierra con buenos fines, y tenía que asegurarme de sus intenciones antes de presentarme ante ellos.

Buscaron los tripulantes de la chalupa un lugar donde atracar y, como no conocían la isla, dejaron la chalupa a alguna distancia de la playa y bajaron a tierra.

Eran en total once hombres y casi todos parecían ingleses. Entre ellos había tres que estaban atados. Uno de ellos gesticulaba de una manera exagerada, y los otros dos levantaban las manos y los ojos al cielo con desesperación.

Una vez uno de los hombres levantó un gran cuchillo amenazando a uno de los prisioneros con clavárselo. Se me heló la sangre en las venas al ver el terrible espectáculo.

Los ingleses no se hallaban a tiro de mi escopeta, pero bien pronto se me ocurrió una solución. Tras la amenaza de uno de aquellos hombres hacia un prisionero, observé cómo casi todos se esparcían por la isla para reconocer un poco el terreno. Los tres prisioneros se sentaron en el suelo, afligidos. Pero los hombres no se dieron cuenta de que la marea iba bajando, y muy pronto la chalupa quedó en seco.

Yo permanecí escondido en mi casa, y vigilando. Sabía que la pleamar no volvería hasta al cabo de diez horas, y que llegaría la noche, durante la cual podría espiar mejor sus movimientos.

Preparé las armas y municiones y junto con Viernes salí al exterior. Mi aspecto era formidable: llevaba el sable, la pistola, la escopeta y tres mosquetes.

Como he dicho, mi intención era no hacer nada hasta la noche. Entonces aproveché para acercarme a los prisioneros y preguntarles sobre su situación.

—Señor, por fuerza seréis un enviado del cielo. Nuestras desgracias son tantas... En dos palabras, soy el capitán del buque, éste es mi segundo, y éste un pasajero. La tripulación se ha sublevado contra mí y pretenden partir sin nosotros y dejarnos abandonados en esta playa.

—¿Dónde se hallan vuestros enemigos?

—Están echados cerca de aquí. Quizá os hayan visto ya.

—¿Tienen armas de fuego?

—Sólo dos fusiles, uno de los cuales está en la chalupa.

—Bien, yo me encargo de ellos. Podría matarlos, pero es mejor hacerlos prisioneros.

El capitán me indicó que había dos marineros malvados que eran los cabecillas. Si eran eliminados, con toda probabilidad los demás se someterían fácilmente; pero no podía distinguirlos a aquella distancia. Les liberé de sus ataduras, y nos escondimos todos en el bosque.

—Señor capitán, dos cosas quiero pedirle. Mientras ustedes estén en la isla me obedecerán en todo y por todo; yo les prestaré armas, que me devolverán en cuanto se las pida. Segundo, si logran recuperar el barco nos llevarán, a mi sirviente y a mí, a Inglaterra.

El capitán me lo prometió solemnemente, diciendo al mismo tiempo que si no lograba recuperar el barco se quedaría a mi lado siempre, y me obedecería por todo y en todo.

Entonces les di un par de escopetas, una a él y otra a su segundo, y corrieron hacia la playa, abatiendo a los dos sublevados y atando a los demás, que se sometieron enseguida.

Pensé que, probablemente, al ver que los hombres que habían partido en la chalupa no volvían, alguna expedición llegaría en su busca, con hombres mejor armados.

El capitán pensó lo mismo, y por el momento retiramos la chalupa que estaba en la playa, y quitamos todo lo que había en su interior para hacer imposible la navegación.

También hicimos un agujero en su fondo, para que, en caso de vencernos, no se la pudiesen llevar. Mi intención era repararla y poder ir al continente en busca de mis amigos españoles, a los cuales no había olvidado.

Mientras estábamos sentados en la playa reflexionando sobre lo que debíamos hacer a continuación, oímos un cañonazo, que era la señal de costumbre para llamar la chalupa a bordo; como nadie embarcó en ella, con mis anteojos pude distinguir cómo botaban otra y se dirigían a la isla.

El capitán observó a sus tripulantes. Dijo que tres de ellos eran muchachos honrados a quienes sólo el miedo podía haberles arrastrado a la conspiración; en cuanto a los demás, eran unos malvados.

Algunos prisioneros en quienes el capitán confiaba más se pusieron a nuestro servicio en aquel momento, jurando vivir y morir con nosotros. De este modo llegamos a ser siete hombre armados, y yo no tenía ninguna duda de vencer a los diez que llegaban, contando con el elemento sorpresa y mi conocimiento de la isla.

Desembarcaron los hombres y corrieron hacia la chalupa, mostrándose muy sorprendidos al ver el

agujero en el fondo. Luego se pusieron a gritar con toda la potencia de sus pulmones, pero no obtuvieron respuesta.

Más tarde se colocaron en línea e hicieron una descarga general que tampoco tuvo respuesta. Desconcertados, se subieron de nuevo a la chalupa y se dirigieron hacia el barco.

Aquello nos desconcertó. Lo más probable era que se fueran al barco diciendo que no había nadie en la isla, y que levaran anclas inmediatamente, en vista de lo cual, nosotros perdíamos la oportunidad de recuperar el buque.

Pero cuando se hallaban a poca distancia resolvieron acercarse de nuevo. Siete hombres desembarcaron en la costa, y los otros tres se quedaron en la chalupa.

Los siete hombres avanzaban juntos hacia la parte superior de la colina que estaba cerca de mi casa, así que pudimos observarlos sin que ellos nos vieran.

En la cima volvieron a gritar hasta cansarse, y después se sentaron en el suelo para deliberar. Se levantaron enseguida decididos a embarcar. Efectivamente, llegaron hasta la playa, pero cuando estaban a punto de dirigirse a la lancha, ordené a Viernes y al segundo del capitán que gritasen con todas sus fuerzas y que atrajesen la atención de los hombres hacia donde nosotros estábamos.

Así lo hicieron y los hombres corrieron en dirección de las voces, que se les escapaban. Cuando Viernes y el segundo volvieron con nosotros, se hallaban sumamente cansados, pues habían llevado a los hombres de bosque en bosque y de colina en colina, hasta estar bien seguros de que no podrían volver a la chalupa antes de la noche, donde podríamos sorprenderlos.

Cuando oyeron los gritos, los hombres de la chalupa llegaron a la playa; uno de ellos se unió a los demás en la búsqueda, pero los otros dos se quedaron de guardianes.

Cuando estuvieron medio dormidos, les conminamos a que se rindieran. Uno de ellos, que según el capitán era buen hombre, no sólo se rindió, sino que se unió a nosotros de buena fe.

Era ya de noche, y mis amigos estaban impacientes por atacar. Al fin, los hombres, muy cansados, llegaron a la chalupa, y cuál no sería su sorpresa al hallarla vacía, fuera del agua y en la hora de bajamar.

Se pusieron a gritar a sus camaradas, y a lamentarse entre ellos de la isla, pues creían que estaba encantada. Corrían de un lado a otro, y se retorcían las manos con desesperación, creyendo que los espíritus iban a llevárselos.

Ordené que el capitán, el segundo y Viernes se acercasen a ellos en la oscuridad. En el momento preciso, se levantaron y dispararon sobre tres de los más revoltosos. Uno cayó muerto, otro herido y murió poco después, y el tercero logró escapar.

Los demás, al oír la descarga, palidecieron y cayeron al suelo desesperados y llenos de terror. Entonces ordené a uno de los marineros que se habían unido a nosotros que llamase a alguno para proponerles la rendición. En aquella situación era lo mejor que podían hacer. En la oscuridad no podían saber cuántos eran los hombres que les atacaban.

Al fin depusieron las armas pidiendo clemencia. El capitán, junto con los demás hombres, se acercó a los vencidos. Los reprendió duramente por su imprudencia y les dijo que iba a mandarlos a Inglaterra para ser juzgados según las leyes del país, que son muy duras con los sublevados. Luego le dijo a Atkins, el primero en sublevarse, que se preparara para morir, pues el gobernador había decidido colgarlo por la mañana.

Todo aquello no era más que una ficción, para ver cómo respondían aquellos hombres. Atkins se arrojó al suelo, pidiendo clemencia, y rogando al capitán que intercediese por él ante el gobernador. Los demás rogaron que no les llevaran a Inglaterra, donde a buen seguro serían ahorcados.

Mandé entonces a un hombre que estaba cerca de mí para que le dijera al capitán:

—Señor, el gobernador os llama.

Éste contestó enseguida:

—Dile a su excelencia que voy inmediatamente.

Ante esto, los hombres quedaron convencidos de que cerca de allí se hallaba el gobernador junto a sus cincuenta hombres.

En cuanto el capitán llegó a mi lado, le comuniqué mi plan. Aquellos hombres colaborarían en la recuperación del buque si se les daba un tratamiento

adecuado. Lo primero era separar a los más revoltosos para llevarlos prisioneros a la cueva con los otros, y así asegurarnos la buena fe de toda nuestra tripulación.

A los demás los encerramos en mi casa de campo, donde estaban bastante seguros, teniendo en cuenta, además, que su futuro dependía de su conducta.

Al día siguiente el capitán se dirigió adonde estaban los prisioneros y trató de sondearlos, preguntando indirectamente si estaban dispuestos a colaborar en la recuperación del buque.

Aquellos hombres, en situación tan crítica, no podían por menos que aceptar cualquier proposición, y arrodillándose a los pies del capitán juraron serle fieles eternamente si no les mataba ni castigaba.

Decidimos escoger a cinco de ellos. Si los que estaban libres no acataban las órdenes en todo momento, inmediatamente, los que quedasen en la isla serían ahorcados.

Entonces se preparó la expedición: el capitán, su segundo y el pasajero, los dos hombres de la primera expedición a quien el capitán había confiado armas, los otros dos que estaban atados en el bosque y que yo había desatado, y finalmente, los cinco de la segunda expedición. Doce hombres en total, más los siete que yo conservaba como rehenes.

Viernes y yo nos quedamos en la isla, pues teníamos siete hombres que guardar. Los que se hallaban en la caverna recibirían el sustento una vez al día: iría Viernes a llevárselo. Los otros dos se quedarían en el bosquecillo.

En la primera chalupa, después de haber sido convenientemente reparada, montaron cuatro marineros al mando del pasajero; en la segunda, el capitán y el resto de los hombres.

Cerca de la medianoche llegaron al buque. Cuando subieron a bordo, el capitán y su segundo comenzaron a dar culatazos a los que se hallaban en el buque, fielmente secundados por el resto de los hombres. Finalmente, consiguieron encerrarlos en la bodega.

El nuevo capitán, junto con dos marineros y el grumete, se había encerrado en uno de los camarotes, de donde se vio obligado a salir y rendirse. El segundo fue herido pero levemente.

En cuanto el capitán volvió a tomar posesión de su barco hizo disparar siete cañonazos, que era la señal convenida para darme la noticia.

A la mañana siguiente me despertó una voz que gritaba: «¡Gobernador!, ¡Gobernador!»; me levanté inmediatamente y vi al capitán que se acercaba a mí, diciéndome:

—Señor, allí está el barco, que es vuestro, como también nuestras vidas y todo lo que poseemos.

Me estrechó entre sus brazos, le abracé a mi vez y nos felicitamos mutuamente.

Luego hablamos de los prisioneros más rebeldes; si querían venir con nosotros, no teníamos más remedio que llevarlos a Inglaterra, donde serían juzgados y probablemente condenados a la horca.

Otra solución era que se quedasen en la isla, con mis posesiones y municiones, y permaneciesen allí. Ante esto, los prisioneros se mostraron sumamente agradecidos y aceptaron quedarse a vivir allí, en vez de arriesgarse a volver a Inglaterra, donde a buen seguro les esperaba la muerte.

Conversé con el capitán y le dije que me dejase pasar todavía la última noche en mi isla antes de partir. Durante aquellas horas hablé con los hombres que se quedaban. Les mostré mis fortificaciones y mi casa de campo; les enseñé a cultivar el grano y, en fin, les conté la historia de mi estancia en la isla, de modo que ellos pudieran aprovecharse de todas mis experiencias.

Al mismo tiempo les prometí que obtendría del capitán el permiso para llevarles dos barriles más de pólvora, y semillas de hortalizas que en otro tiempo yo hubiera estado dichoso de poseer.

Finalmente les anuncié la próxima llegada de diecisiete españoles, y les hice firmar un documento mediante el cual juraban repartirlo todo con ellos.

Capítulo XII

Después de dejarlo todo dispuesto, a la mañana siguiente cogí una chalupa y me dirigí a bordo. No pudiendo partir al momento, a la mañana siguiente, muy temprano, llegaron nadando dos desterrados, pidiendo que, por favor, les recibiésemos a bordo, aunque tuviéramos que ahorcarlos al instante, pues los demás querían asesinarles.

Tras ciertas dudas les recibimos, y después de ser azotados, respondieron como hombres de bien. Como había prometido, mandé semillas y pólvora junto con una carta, donde decía a los desterrados que no me olvidaría de ellos, y que si podía mandaría un barco a buscarles algún día.

Me llevé de la isla mi gorra de piel, uno de mis papagayos y el parasol como recuerdo; sin olvidar el dinero, que estaba todo oxidado y que difícilmente hubiera podido pasar por plata si no se hubiera limpiado previamente.

Abandoné la isla el 19 de diciembre de 1686, veintiocho años, dos meses y diecinueve días después de mi llegada. Tras seis meses de viaje llegamos a Inglaterra, de la que había estado ausente treinta y cinco años.

Allí todos me eran desconocidos y yo resultaba un extraño. La viuda del capitán, que había guardado durante años mi dinero, estaba en muy mala situación; había enviudado por segunda vez, y yo no le pedí el dinero que me había guardado, sino que incluso pude ayudarla algo.

Fui a ver a mi familia. Mis padres habían muerto y quedaban mis dos hermanas y los dos hijos de un hermano. Como me habían dado por muerto no contaron conmigo en el reparto de la herencia, por lo que de aquella parte no podía esperar nada. Pero el capitán explicó lo sucedido a los dueños del buque, los cuales, para recompensarme, me entregaron doscientas libras esterlinas.

Con mi pequeña fortuna traté de llegar a Lisboa, para saber algo de mi plantación de Brasil. Una vez en la capital portuguesa, encontré a mi antiguo amigo, el capitán que me salvara en mi primera escapatoria. Era ya muy viejo y apenas me reconoció.

Me contó que hacía nueve años que no visitaba Brasil, y que a su partida mi socio aún vivía.

Le pregunté entonces si él creía que valía la pena trasladarme hasta Brasil para ver mi plantación; en fin, si había mejorado o no iba a encontrar casi nada. Me contestó que no sabía exactamente cuánto me

darían, y si la plantación realmente era mayor, pero dijo que mi socio y las dos personas a las que dejé mi hacienda cuando partí en busca de esclavos eran muy honradas, de manera que, probablemente, una vez en Brasil me ayudarían en lo posible.

También me dio algo de dinero que había recibido hacía muchos años en concepto de beneficios para serme entregado, pues mis amigos creían que había llegado a Lisboa.

Me inscribió en un barco que partía para Brasil a los pocos días, y firmó un documento por el cual me reconocía como la persona que compró y explotó la plantación durante los primeros años.

Pero grande fue mi sorpresa cuando, antes de partir, recibí una carta de mi socio, en la cual decía que podía ir inmediatamente hacia allí para tomar posesión de mis tierras, que estaba feliz porque Dios me había salvado la vida y que me esperaba cuanto antes.

Me vi poseedor de tres mil doscientos moidores portugueses, de tierras en Brasil y de numerosos regalos que mi socio me había enviado. Enseguida concedí una renta anual de cien moidores para el capitán que tanto me había ayudado a lo largo de mi vida.

Le dejé al mismo tiempo encargado de recibir mis intereses de Brasil, por el momento. Yo tenía en esos días el problema de resolver dónde guardar mi dinero. En Lisboa no tenía una cueva segura como en mi isla, así que, tras varios meses de duda, resolví volver a Inglaterra y allí hacerme con algún amigo que me lo guardase.

Decidí ir a Londres por tierra, exceptuando el pequeño paso de Dover, pues el mar había dejado en mí malos recuerdos. Junto con dos comerciantes portugueses y dos españoles emprendí el viaje, siempre acompañado por mi fiel Viernes.

Al llegar a Madrid quisimos aprovechar para visitar la corte y seguir luego hacia el norte. Se acercaban los fríos y el pobre Viernes tiritaba constantemente. Ante la vista de los Pirineos nevados yo también sentí frío y temimos que se nos helaran los pies y las manos.

Ya a la mitad del camino nos encontramos con un guía que prometió hacernos pasar los Pirineos por un lugar donde no pasaríamos frío. Sin embargo, el peligro que había era que los lobos hambrientos llegaban a acercarse a las caravanas para atacar a las personas.

Como no teníamos miedo e íbamos bien armados, nos decidimos a seguir al guía.

A mitad de camino nos encontramos con unos cuantos lobos que trataron de perseguirnos. Por suerte nuestros caballos eran muy veloces y no pudieron alcanzarnos.

Más tarde nos encontramos con otra manada. Nos rodearon con rapidez y se lanzaron al cuello del caballo de Viernes. Por suerte, las bridas impidieron que los animales clavasen sus afilados dientes en la montura.

Más desgracia tuvo el guía, que salió herido. Un lobo le mordió en un brazo y en una pierna, más arriba de la rodilla. Viernes corrió en su auxilio, gracias a lo cual no sufrió más heridas.

Luego nos encontramos con un oso, y jamás vi combate semejante entre un hombre y un animal como el que se entabló entre Viernes y el oso. Lo que en un comienzo nos horrorizó a todos, acabó divirtiéndonos al máximo.

El oso es un animal lento y pesado por sus enormes proporciones, pero tiene dos cualidades especiales: no ataca normalmente al hombre, a no ser que se encuentre hambriento, cosa que en aquella circunstancia podía suceder, pues todo se hallaba completamente cubierto de nieve.

El oso no cambia jamás de camino. Si él se dirige hacia un sitio, sigue directamente hacia él. No se mete con el hombre, y si uno se encuentra algún oso en un bosque, lo mejor es apartarse sin hacerle caso y como si no se le hubiera visto; porque si uno lo mira fijamente o le arroja cualquier objeto que lo roce un poco, aunque tan sólo sea un palo, se siente ofendido y emplea todos los medios posibles para vengarse. Esta es su primera cualidad.

La segunda es que, una vez alguien le ha ofendido, no descansa, ni de día ni de noche, hasta haber reparado la afrenta.

Viernes se acercaba a nosotros con el guía herido, cuando de entre unas rocas salió un oso enorme, monstruoso. Quedamos todos los presentes mudos de espanto, excepto Viernes, que se puso a reír, y señalándolo gritó:

—Señor, ¿das permiso para yo haceros bien reír?

Entonces Viernes se sentó en el suelo, se quitó las botas, se puso unos zapatos que llevaba en el bolsillo, dio su caballo al otro criado y, armado con la escopeta, comenzó a correr como una exhalación.

El oso seguía su camino sin pensar en atacar a nadie, hasta que Viernes se interpuso en su camino y le gritó:

—¡Eh, oso! ¿Tú querer hablar conmigo? ¡Ven!

Se agitaba delante del animal como burlándose de él. Y consiguió su propósito, pues el oso comenzó a mirarle enfadado. Viernes siguió el juego cogiendo una piedra y se la tiró a la cabeza.

El oso, aunque evidentemente la piedra no le había dañado en absoluto, comenzó a caminar hacia

Viernes con pasos amenazadores. Viernes se dispuso a huir. Ya había logrado su propósito, pero se acercaba adonde nos encontrábamos.

Como mi compañero corría más que el oso, se acercó a nosotros y nos hizo señas para que fuéramos hacia una encina que estaba próxima. Una vez allí se subió arriba de un salto, tirando la escopeta lo más lejos que pudo.

Nosotros le seguimos a una distancia prudencial. El chico, encima del árbol, gritaba incitando al oso. Éste llegó, y lo primero que hizo fue olisquear la escopeta que Viernes había dejado cerca de allí.

Pero no tardó en dejarla, y ágil como un gato, a pesar de su enorme peso, fue encaramándose por el tronco. Yo, la verdad, no encontraba todavía motivos para reírme, y seguía creyendo que mi criado era un imprudente insensato.

Cuando estábamos todos rodeando la encina, Viernes se colocó en el extremo de una rama bastante delgada. El oso se encontraba a medio camino para llegar hasta él.

En cuanto el oso llegó a la parte de la rama más delgada, Viernes gritó:

—¡Ahora bien reír! ¡Mirad bien!

Y se puso a agitar la rama, de manera que el oso se movía y temblaba, y no se atrevió a avanzar más, lanzando miradas tras de sí para ver si podía retroceder. Esto sí que nos hizo reír de veras. De vez

en cuando Viernes se movía de tal manera que hacía temblar y bailar al oso. Éste adoptaba las posturas más ridículas, lo que nos hacía retorcernos de risa.

Mas era ya tiempo de que Viernes terminase con el animal. Nosotros creíamos que lo que iba a hacer era tratar de tirarlo al suelo, pero el oso era demasiado listo para ello, pues se agarraba al árbol fuertemente con sus patas y uñas poderosas.

Así que no podíamos imaginarnos cómo iba a acabar aquella juerga. Viernes, al ver que el oso ya no se movía, dijo:

—¿Así que ya no querer avanzar más? Pues bien, si tú no venir a mí, yo ir a ti.

Y se deslizó por la rama hasta tocar el suelo. Fue corriendo a coger su escopeta, que cargó y mantuvo apuntando hacia el oso.

—¿Pero por qué no disparas ya? —le dije.

—Si disparar ahora, no matar; esperar, que aún podréis reír más.

El oso bajaba lentamente del árbol, pues al ver huir a su enemigo volvía en su busca. Pero como estaba escarmentado se movía muy lentamente y no levantaba más que una pata a la vez, mirando hacia atrás de vez en cuando para ver si había peligro de que el árbol se moviera de nuevo.

Esta escena verdaderamente nos divirtió mucho. En cuanto el oso llegó al suelo y se dirigió amenazadoramente hacia Viernes, éste disparó a bocajarro y lo dejó tendido sin vida.

Después nos miró a nosotros con la intención de leer en nuestros rostros si efectivamente lo habíamos pasado bien.

—Nosotros matar así los osos en nuestro país.

—¿Pero cómo vais a matarlos si allí no tenéis armas?

—No tenemos armas de fuego, pero les disparamos flechas con las puntas muy afiladas.

Esto nos sirvió de diversión y desahogo, pero lo cierto es que nos encontrábamos en un paraje hostil, con el guía gravemente enfermo, y me parecía oír el aullido de los lobos.

Por todos estos motivos y porque la noche se acercaba, decidimos emprender de nuevo la marcha.

La tierra seguía cubierta de nieve, aunque no tan espesa como en las montañas; pero los lobos rabiosos habían bajado a las llanuras y hasta los pueblos en busca de alimento. Estos animales habían cometido carnicerías en las aldeas, donde mataron a numerosos carneros, caballos e incluso a algunas personas.

Y nos quedaba por atravesar todavía un lugar muy peligroso, donde a buen seguro encontraríamos lobos, según nuestro guía. Era un estrecho desfiladero por donde teníamos que pasar si queríamos llegar al pueblo para descansar por la noche.

Media hora antes de ponerse el sol llegamos a la entrada de un bosque. Cinco lobos pasaron por nuestro lado, pero siguieron su camino sin hacernos caso.

Al fin llegamos a una llanura, y allí vimos un montón de lobos devorando un caballo muerto; la carne había desaparecido por completo, y en aquellos momentos estaban ocupados devorando los huesos.

Viernes hubiera querido disparar alguno tiros, pero se lo prohibí, pensando que si lo hacía quizá tendríamos que disparar más de los que pensábamos. No habíamos llegado a la mitad del llano cuando un centenar de lobos se acercó a nosotros formando un ejército alineado, como si un general los mandase.

No sabiendo qué actitud tomar, ordené que todos nos colocásemos en línea cerrada, y que de cada dos hombres sólo uno disparase, así los lobos no nos sorprenderían en ningún momento sin las escopetas cargadas.

Ante la primera descarga, los lobos se amedrentaron, tanto por los que cayeron heridos como por el ruido, que cerca de los montes sonaba terriblemente. Se pararon sin saber qué partido tomar, y entonces yo, que había oído decir que los animales más temibles huían al oír la voz humana, hice gritar a mis hombres. En efecto, todos los lobos huyeron ante aquellos sonidos.

Pero al llegar precisamente al desfiladero que debíamos cruzar nos quedamos mudos de asombro al ver la cantidad de lobos que se hallaban reunidos precisamente en la misma entrada.

De improviso oímos un tiro dentro del desfiladero y al poco tiempo salió un caballo corriendo, sin bridas y rodeado por muchos lobos, que le persiguieron y que, sin duda, alcanzaron no lejos de allí.

Aprovechamos aquellos momentos para huir, entrando en el desfiladero, donde presenciamos una horrible escena: dos hombres y otro caballo estaban siendo devorados por los lobos. Sin duda, uno de ellos era el que había disparado momentos antes.

Pero no tuvimos mucho tiempo para detenernos, pues los lobos nos perseguían ya a nosotros, mirándonos como una presa segura. Corrimos hacia un bosque cercano y nos parapetamos detrás

de los árboles formando un triángulo. Éramos doce hombres entre amos y criados, y creo que las fieras pasaban de trescientas.

Jamás vi ataque como aquél. Suerte que se me ocurrió una buena idea. Tras cuatro descargas de nuestras escopetas, mandé a Viernes poner un reguero de pólvora a nuestro alrededor, mientras los demás lo cubríamos.

En el momento en que los animales se disponían a atacarnos por quinta vez, disparé a la pólvora, que estalló, matando a numerosos lobos. Muchos se dieron a la fuga, y mientras tanto, nosotros, valientemente, nos lanzamos sobre ellos y acuchillamos a los que se revolcaban en el suelo, malheridos.

Gritando a pleno pulmón, nos montamos en los caballos y emprendimos la huida, apenas perseguidos por algunos lobos, que dejamos pronto rezagados.

Cuando llegamos a Toulouse, no querían creer las aventuras que habíamos corrido. A la mañana siguiente, nuestro guía se hallaba tan enfermo que tuvimos que tomar otro, con el cual seguimos viaje hasta París. Allí nos detuvimos unos días para conocer la ciudad, embarcándonos después hacia Londres.

Una vez allí fui a ver a la viuda del capitán, muy vieja ya, a quien di algún dinero, e incluso todo el que poseía para que me lo guardara, pues no encontré a nadie de mi familia que me pareciera adecuado para confiárselo.

Escribí entonces a Lisboa para embarcarme desde allí hasta Brasil, pero no tardé en cambiar de opinión, pues mis escrúpulos religiosos me impedían tener esclavos para trabajar en las plantaciones. Así, encargué a mi socio que vendiera mi parte de las tierras.

Había cerca de mis tierras brasileñas una familia muy honrada que se alegraría en comprarlas si yo me contentaba con cinco mil doblones de a ocho. Le dije que para mí era suficiente, pero al cabo de ocho meses mi sorpresa fue grande al ver que mi socio me mandaba treinta y tres mil piezas de a ocho.

Firmé el documento de transacción a un corresponsal de Lisboa y de inmediato quedó hecha la venta.

Durante este tiempo, me casé con una mujer joven que me dio dos hijos y una hija; pero, por desgracia, mi mujer murió pronto.

Y aquí doy por terminada la primera parte de mi vida aventurera, en la cual sucedieron cosas interesantes y extrañas, que quizá a ningún otro ser en la tierra le hayan pasado.

Pero poco a poco volvió en mí la sed de nuevas aventuras, y quise regresar a Brasil, aun cuando ya no tenía posesiones allí. En Londres no tenía apenas amigos, mi mujer había muerto, y también sentía nostalgia de mi querida isla.

Mi buena amiga viuda quiso hacerme desistir de semejante proyecto, y logró retenerme durante siete años, los cuales consagré a la educación de mis hijos y de los dos sobrinos hijos de mi hermano muerto. Al primero de éstos, que tenía afición por la vida caballeresca, le di una esmerada educación y le proporcioné buen dinero para que pudiera situarse en sociedad.

El segundo tenía inclinaciones marineras, y le metí en un barco, del que con el tiempo llegó a ser capitán. Precisamente este sobrino fue el que años más tarde me indujo a correr más aventuras a su lado.

En el año 1694 me embarqué con mi sobrino para dirigirme hacia las Indias orientales con objeto de traficar allí. De paso visité mi isla y allí encontré a los españoles, quienes me contaron su vida desde que allí estaban.

Al principio no se llevaron bien con los bandidos, que los llegaron a maltratar. Luego se hicieron amigos, y al fin volvieron a reñir. Tras largas discusiones lograron los españoles someter a los rebeldes e imponer su voluntad.

También me hablaron de sus luchas con los caribes, y de una temeraria excursión a tierra firme de la cual trajeron cinco mujeres y once hombres prisioneros, por lo que la colonia había aumentado. En ese momento había por la playa una veintena de chiquillos corriendo y gritando.

Con ellos estuve unos veinte días con gran satisfacción. Antes de irme, les dejé provisiones, armas, pólvora, herramientas, trajes y otras cosas que les fueron de mucha utilidad y que yo, por propia experiencia, sabía cuánto había echado en falta muchas veces.

Luego repartí la isla entre ellos, quedándome yo como propietario, pero todos quedaron satisfechos y no pensaban de momento abandonar el lugar.

Desde allí salté a Brasil y les mandé una embarcación con gente para poblar la isla, víveres y seis mujeres. A los dos ingleses les prometí mandarles dos paisanas para que se casasen con ellos.

También les envié desde Brasil vacas, caballos, carneros, cerdos y los animales que me parecieron más apropiados, que, según supe luego, se reprodujeron con gran facilidad.

No todo fue paz y tranquilidad en mi isla, pues una vez la asaltaron trescientos caribes, que destrozaron numerosas plantaciones y mataron a algunos colonos. Su ocupación duró hasta que una terrible

tempestad destruyó sus canoas y no pudieron volver a su tierra, siendo muertos y reducidos por los habitantes de la isla.

Y hoy en día siguen viviendo en paz en aquel lugar tan hermoso, donde yo pasé tantos años de mi vida.

Muchas otras aventuras corrí después, que quizá relataré en otro libro, pues contienen sorprendentes episodios.

Títulos de la colección

Oliver Twist
Los viajes de Gulliver
Viaje al centro de la Tierra
Sherlock Holmes
Robin Hood
Miguel Strogoff
Un capitán de quince años
La vuelta al mundo en 80 días
La isla del tesoro
Mujercitas
La cabaña del tío Tom
Cinco semanas en globo
El lazarillo
De la Tierra a la Luna
Mody Dick
Sandokán
La isla misteriosa
Ben-Hur
Las aventuras de Tom Sawyer
Robinson Crusoe